O DIVINO FEMININO NO
TAO TE CHING

ELOGIOS AO LIVRO

"A tradução de Rosemarie Anderson do *Tao Te Ching* é talvez o reflexo mais verdadeiro desse texto antigo, que se refere ao Tao não de modo impessoal, mas de modo feminino. A abordagem contemplativa de Rosemarie também acrescenta precisão técnica, resgatando o lirismo, a beleza e o misticismo com que os versos foram elaborados originalmente. O feito impressionante da autora revitaliza essa sabedoria venerável e evoca, de forma poderosa, seus significados mais profundos."

Jenny Wade, Ph.D.
autora de *Changes of Mind and Transcendent Sex*

"Centrando-se no Tao como o 'útero do universo' e no Te como 'virtude' e potencialidade, Rosemarie Anderson nos propicia um envolvimento fácil e prazeroso com a sabedoria dos antigos e sábios ditados chineses. Sua abordagem abre nosso coração, pois seus versos claros e diretos são um verdadeiro convite à leitura, e o espaçamento artístico entre eles só aumenta sua beleza. Sinto-me em casa nessa tradução. [...] É exatamente de que precisamos agora que as coisas parecem estar desmoronando. Meios pacíficos para aumentar nossas chances de sobrevivência."

Judy Grahn, Ph.D.
autora de *Eruptions of Inanna* e *Another Mother Tongue*

"A tradução única de Rosemarie Anderson do *Tao Te Ching* nos permite, pela primeira vez, vivenciar a essência feminina mística do Tao — uma combinação de poder e maleabilidade, exortação e paciência da Divina Mãe — e nos convida a trilhar o caminho da transformação por nós mesmos. Rosemarie traduz como quem faz poesia: compassadamente, prestando atenção ao ritmo e à textura das palavras, deixando cada frase irradiar sua sabedoria. E é exatamente assim que você deve ler este livro. Se fizer isso, seu relacionamento com o conceito de Tao ficará para sempre enriquecido."

Linda Sparrowe
professora, consultora de conteúdo e autora de *Yoga at Home* e *The Woman's Book of Yoga and Health*

"Como um clássico da literatura mundial, o *Tao Te Ching* parece desdobrar suas camadas majestosas de sabedoria, renovadas a cada nova geração. A professora Rosemarie Anderson contribuiu incisivamente para sua história, dando-nos uma camada que fala com eloquência e urgência à nossa época: a natureza feminina do Tao. Como se estivesse encerrado nas profundezas da poesia por séculos, esperando para ser despertado, o feminino agora pode falar dos seus caminhos e percepções, que irradiam tão bem por meio dessa nova tradução. É raro, na verdade, que um acadêmico se destaque em diversos campos; depois de abrir uma trilha criativa e influente na psicologia transpessoal nas últimas décadas, Anderson agora aspira ao desafio da tradução. Toda tradução também é interpretação, e a compreensão sensível de Anderson acerca da sabedoria do Tao beneficiará a todos os que lerem esta obra."

Brian L. Lancaster, Ph.D.
autor de *Approaches to Consciousness* e *The Essence of Kabbalah*

"Embora eu tenha comprado uma dezena de traduções do *Tao Te Ching* ao longo dos anos e ache seus versos lindos e práticos, a versão de Rosemarie Anderson aprofundou minha apreciação desse livro clássico, chamando minha atenção para o lírico, o místico e a natureza feminina dos versos, perspectivas nunca antes descritas com tamanha profundidade e autoridade. Rosemarie defende, de maneira persuasiva, a ideia de que o Tao seja de natureza feminina, e essa compreensão ilumina partes da obra que, de outra forma, seriam ignoradas. Ela também nos lembra de que os versos eram frequentemente cantados por bardos antigos, prática provocativa que os leitores podem experimentar por si próprios. Quando me perguntam qual tradução eu recomendaria aos iniciantes, não hesito em escolher esta."

Stanley Krippner, Ph.D.
professor livre-docente do California Institute of Integral Studies e coautor de *Personal Mythology*

"Rosemarie Anderson dá voz eloquente à alma feminina do *Tao Te Ching*. Com uma compreensão profunda e detalhada, ela revela conotações graciosas e nos ajuda a vivenciar a beleza e a sabedoria nos versos. Seus comentários trazem visão nova de um texto antigo e repleto de conhecimentos esotéricos pertinentes aos desafios do nosso mundo moderno."

Lee L. Jampolsky, Ph.D.
autor de *Healing the Addictive Personality*

O DIVINO FEMININO NO TAO TE CHING

Prof. **ROSEMARIE ANDERSON**, Ph.D.

O DIVINO FEMININO NO
TAO TE CHING

A PRIMEIRA TRADUÇÃO DO **TEXTO CLÁSSICO DA FILOSOFIA TAOISTA**
QUE REVELA SUA **ESSÊNCIA FEMININA**

Tradução
Denise de Carvalho Rocha

Editora
Pensamento
SÃO PAULO

Título do original: *The Divine Feminine Tao Te Ching.*
Copyright © 2021 Rosemarie Anderson.

Publicado originalmente nos USA por Park Street Press, uma divisão da Inner Tradtions International, Rochester, Vermont.

Publicado mediante acordo com Inner Traditions International.

Copyright da edição brasileira © 2022 Editora Pensamento-Cultrix Ltda.

1ª edição 2022.

Todos os direitos reservados. Nenhuma parte deste livro pode ser reproduzida ou usada de qualquer forma ou por qualquer meio, eletrônico ou mecânico, inclusive fotocópias, gravações ou sistema de armazenamento em banco de dados, sem permissão por escrito, exceto nos casos de trechos curtos citados em resenhas críticas ou artigos de revista.

A Editora Pensamento não se responsabiliza por eventuais mudanças ocorridas nos endereços convencionais ou eletrônicos citados neste livro.

Editor: Adilson Silva Ramachandra
Gerente editorial: Roseli de S. Ferraz
Gerente de produção editorial: Indiara Faria Kayo
Capa e projeto gráfico: Marcos Fontes / Indie 6 – Produção Editorial
Revisão: Adriane Gozzo

Dados Internacionais de Catalogação na Publicação (CIP)
(Câmara Brasileira do Livro, SP, Brasil)

Anderson, Rosemarie
 O divino feminino no Tao Te Ching : a primeira tradução do texto clássico da filosofia taoísta que revela sua essência feminina / Rosemarie Anderson ; tradução Denise de Carvalho Rocha. -- 1. ed. -- São Paulo, SP : Editora Pensamento, 2022.

 Título original : The divine feminine Tao te ching.
 ISBN 978-85-315-2225-3

 1. Feminismo - Aspectos religiosos - Taoísmo 2. Laozi. Dao de jing I. Título.

22-115797   CDD-299.51482

Índices para catálogo sistemático:

1. Tao Te Ching : Divino feminino : Taoísmo : Religião   299.51482

Eliete Marques da Silva - Bibliotecária - CRB-8/9380

Direitos de tradução para o Brasil adquiridos com exclusividade pela
EDITORA PENSAMENTO-CULTRIX LTDA., que se reserva a
propriedade literária desta tradução.
Rua Dr. Mário Vicente, 368 – 04270-000 – São Paulo – SP – Fone: (11) 2066-9000
http://www.editorapensamento.com.br
E-mail: atendimento@editorapensamento.com.br
Foi feito o depósito legal.

SUMÁRIO

Agradecimentos 9

Introdução – Minha Jornada à Tao 13

A Tao como Mãe, Virgem e Útero da Criação 21

Origens, Lendas e Manuscritos Antigos 39

O *Tao Te Ching* de Lao-tsé 47

Notas sobre a Tradução e a Caligrafia 137

Notas sobre os Poemas 143

Bibliografia Comentada 177

Sobre a Tradutora e Calígrafa 183

AGRADECIMENTOS

Traduzir o *Tao Te Ching* foi uma obra de amor. Amigos e colegas me ajudaram ao longo do caminho. Entre eles, Paul Goodberg, meu mestre espiritual há mais de vinte anos. Seu companheirismo e treinamento espiritual em tradições esotéricas da Europa central e da América Latina foram inestimáveis para mim, porque ele faz perguntas que nunca pensei em fazer, o que, inevitavelmente, me convidou a aprofundar minha compreensão do texto chinês. Paul também me apresentou a Linda Sparrowe, que me ajudou a revisar os poemas introdutórios e a proposta de livro, além de me apresentar à minha editora. O entusiasmo de Paul e Linda pelas minhas traduções do poema nunca arrefeceu.

No cotidiano, minha vizinha, amiga, autora e poeta Patricia Florin foi um apoio constante. Sou grata pela amizade e pelas reflexões dela sobre meus versos, enquanto eu os traduzia e revisava. Do mesmo modo, amigos e colegas de várias comunidades espirituais e do campo da Psicologia Transpessoal foram fonte de apoio para o que, de outra forma, eu poderia ter considerado um projeto radical demais. Felizmente, minha editora de aquisições da Inner Traditions, Jon Graham, também concordou com a ideia de que traduzir o *Tao Te Ching* da perspectiva do Divino Feminino era muito oportuna. Ele e a equipe da Inner Traditions têm sido outra fonte contínua de apoio e encorajamento.

Meili Pinto, uma amiga sino-americana, sempre me ajudou quando eu tinha uma pergunta de cunho esotérico sobre a língua chinesa que estivesse além do meu conhecimento pessoal. Ela é uma acadêmica confucionista que estuda a base espiritual da cultura chinesa antiga, na qual Lao-tsé e Confúcio foram instruídos. Também muito útil em relação aos detalhes técnicos foi Red Pine, cuja tradução do *Tao Te Ching* muito admiro. Gostaria de agradecer, ainda, a Wen Xing, que gentilmente fez comentários sobre algumas das caligrafias, e ao meu *web designer*, Oleg Coshevoi-Tabac, pela competência na digitalização das imagens.

Por fim, gostaria de agradecer a Oh Chung-do, 吳忠陶, que me presenteou com meu nome chinês An Su Zhen, 安素貞, enquanto eu estava morando e dando aulas na Coreia do Sul, em 1978. Oh Chung-do era professor de História e Literatura Chinesa na Universidade Kyung Hee, na Coreia do Sul, além de nomenclaturista da família e dos amigos mais próximos. Tendo em vista que 安 significa "paz e harmonia", 素 significa "essência" ou "natureza original" e 貞 significa "leal e casto", meu nome chinês sempre me deu algo em que pautar minha vida e, em certo sentido, foi o lastro da minha tradução do *Tao Te Ching*.

INTRODUÇÃO

Minha Jornada à Tao

Em 1977, eu era uma professora titular de 30 anos de idade, com uma vida confortável e financeiramente estável. Ministrava aulas de Psicologia e supervisionava pesquisas numa universidade particular de elite nos Estados Unidos. A Ásia era "o Oriente", lugar distante e repleto de antigas tradições, praticamente ausente da TV e da mídia ocidentais. Mesmo assim, por algum motivo misterioso, a Ásia me atraía, comunicando-se comigo de várias maneiras, como nenhuma outra coisa. Eu precisava ir até lá. Por isso, pedi demissão da universidade e, quase da noite para o dia, me vi em outro mundo, embarcando numa aventura que continua até hoje. Como poucos caracteres chineses foram transliterados para as letras romanas, tive que aprender a ler o chinês básico rapidamente para poder encontrar o banheiro feminino, pegar o trem certo na estação certa e comprar mais que apenas mercadorias de supermercado que eu reconhecia como hortaliças, ovos e cerveja.

Continuei lendo, aprendendo e, em pouco tempo, me apaixonei pela etimologia dos caracteres chineses e pela elegância da sua caligrafia. Em todos os lugares da Ásia para os quais viajei naqueles anos (China, Japão, Coreia do Sul, Taiwan, Hong Kong, Malásia, Cingapura, Tailândia e Laos), procurava os museus de arte nacionais e passava horas nas salas dedicadas à caligrafia chinesa. A beleza das várias formas de caligrafia me tocava e a reverência que os chineses demonstram pelos caracteres me inspiravam. "Eis uma cultura que sabe o que realmente importa", pensava.

Morar na Ásia com 30 e poucos anos desafiou quase tudo que eu achava que sabia sobre o mundo. Aprendi a difícil lição de aceitar as coisas como elas são e não como eu pensava ou queria que fossem. Olhando em retrospectiva, percebo que eu havia começado a aprender o que os chineses chamavam de *wei wu wei*, que significa "agir sem agir" ou "saber sem saber". Como não tinha carro e era obrigada a andar a pé ou a usar transporte público em todos os lugares, eu me misturava às centenas, senão aos milhares, de asiáticos todos os dias. Sentia-me muito feliz por estar na Ásia. Suspeito que eu era como uma criança, imitando as pessoas perto de mim, assim como fazem os bebês.

Agindo assim, incorporei o conceito chinês do *wei wu wei* sem muito esforço e, ao voltar para os Estados Unidos, com certeza já era um ser humano bem diferente.

A DESCOBERTA DA TAO FEMININA DIVINA QUARENTA ANOS DEPOIS

Como o *wei wu wei* é uma lição essencial do *Tao Te Ching* de Lao-tsé, esse aprendizado prático me deu a compreensão empírica e expressa de que eu precisava para traduzir o texto para o inglês, décadas depois. Na verdade, o *wei wu wei* me foi inestimável, primeiro como leitora e, em seguida, como tradutora, porque me ajudou a aguardar que o poema se revelasse para mim, em vez de ir buscar significados intelectualmente. Tive que desacelerar, deixar de lado meus planos e simplesmente ouvir, até um grande silêncio se derramar sobre meu ser.

Estar com o *Tao Te Ching* e lê-lo com paciência *wei wu wei* me fez encontrar muitos tesouros esotéricos nos poemas que não vi em nenhuma tradução em inglês ao longo dos anos. Essas frases se destacavam para mim e falavam comigo em meu íntimo, no nível espiritual. No entanto, foi só depois de me aposentar que me perguntei se conseguiria traduzir o manuscrito chinês sozinha. Afinal eu já era capaz de ler livros básicos em chinês e tinha ao alcance obras acadêmicas que poderiam me ajudar com os caracteres chineses que eu não conhecia. Achei que, se eu traduzisse os poemas inicialmente apenas para meu próprio uso e prazer, talvez pudesse descobrir algo novo no *Tao Te Ching* ou sobre mim.

Para minha surpresa, descobri que o Tao era profundamente *feminino*! Nunca poderia ter previsto isso porque, nas traduções para o inglês que lia, ele é, em geral, designado pelo pronome neutro "it", ao longo dos versos. Como é possível que tantos tradutores, quase todos do sexo masculino, tivessem deixado de perceber que o Tao é constantemente chamada de "mãe", "virgem" e "útero da criação", todos os quais, sem dúvida nenhuma, femininos e dificilmente neutros em termos de gênero gramatical? Apenas num poema ou noutro, alguns tradutores referem-se ao Tao como "Ela", quando a referência à "mãe" ou ao "útero" é gritante. Portanto, à medida que continuei traduzindo os versos, eu me perguntava: "Sou, de fato, a primeira a notar que o Tao é feminino em todos os versos?". Os tradutores do inglês normalmente determinam o gênero pelo contexto do texto chinês, não pela gramática; então, como substantivos como "mãe", "virgem" e "útero" podem *não* significar "uma Tao Feminina Divina"? Meus amigos não conseguiam entender por que fiquei tão surpresa. Acabavam dizendo coisas do tipo: "Por que outros tradutores iriam querer reconhecer um Tao feminino e desafiar o consenso geral sobre o pronome correto a ser usado?". Mas, depois de reconhecer o Tao dessa maneira intensamente feminina, eu não poderia me referir a ele por qualquer coisa que não fosse "Ela". Aquilo não tinha volta. Você verá o que quero dizer no próximo capítulo.

O *WEI WU WEI* DA TRADUÇÃO

Envolvi-me no processo de tradução de cada verso ouvindo profundamente o texto chinês conforme o lia e relia e recebendo impressões que, com o passar do tempo, eu traduzia em palavras. Esse método de tradução *wei wu wei* raramente era mental, mas, em geral, assumia a forma de impressões corporais. Meu corpo se tornou um tímpano, uma membrana timpânica, que recebia impressões. Quase sempre, eu praticava o *wei wu wei* por vários dias, num único verso: ouvia, fazia anotações e, por fim, recebia as frases ou palavras certas. Na maioria das vezes, o verso ficava mais simples e mais curto. Quanto mais simples e curto era o verso, mais a tradução demorava. Sempre trabalhei com um lápis escrevendo, apagando e reescrevendo cada verso, muito antes de me sentar diante do laptop para digitar o verso. Quando ele começava a parecer algo que Emily Dickinson poderia ter escrito, isso geralmente significava que o verso estava quase completo. Eu estava sempre ouvindo e recebendo — "agindo sem agir" e "fazendo sem fazer".

Nos tempos antigos, o *Tao Te Ching* era recitado e cantado. Assim, para traduzi-lo, é preciso não só sensibilidade mística, mas também ouvido para a música da poesia e imaginação estética capaz de captar o significado para o qual apontam as metáforas poéticas. Os tradutores do *Tao Te Ching*, portanto, precisam ser poetas e compositores, além de ter conhecimento do idioma, da cultura e da história da China, para captar o sentido original dos 81 poemas. Embora os antigos chineses não classifiquem o *Tao Te Ching* como poesia, os 81 poemas estão repletos de ritmo e rimas internas, e suas frases e sentenças curtas são fáceis de memorizar. Tendo em vista que o chinês é uma língua tonal, os tons de um verso podem corresponder a ritmos e tons de outros versos, mas com palavras diferentes. Por mais que uma pessoa seja competente em chinês e inglês, jamais conseguirá imitar as idiossincrasias dos padrões chineses em inglês; porém, procurei fazer com que minhas traduções ficassem poéticas e musicais ao ouvido. Elas podem ser lidas como contadores de histórias ou cantores fariam, tentando, da melhor forma possível, reproduzir as tradições orais das quais os poemas surgiram.

COMO LER E CANTAR O *TAO TE CHING*

Se você deseja realmente ouvir as mensagens do *Tao Te Ching*, precisa entrar em *wei wu wei*. Ouça as palavras. Não tenha pressa. Leia os poemas em voz alta, se isso ajudar. Sinta a batida e a musicalidade dos versos. Tente entoá-los seguindo o ritmo de sua melodia favorita. Deixe as palavras "se derramarem" sobre você, como a letra de uma canção de Bob Dylan que você adora. Viva a tradição oral do *Tao Te Ching* sozinho em casa ou com amigos.

Leia ou cante um poema por dia e viva com ele ao longo desse dia. Imagine-se às margens de um dos grandes rios chineses ou no alto das montanhas da China central, onde os mestres taoistas poderiam ter vivido. Mergulhe na sensação de um deserto tão vasto e longínquo que a ideia de controlá-lo pareça ridícula. Habite num mundo irrefreável e deixe que o rio e as montanhas contem sua história. O *Tao Te Ching* é simples de entender se você se comprometer a, de fato, ouvir e escutar o que ele tem a oferecer. Seja *wei wu wei* — aja sem agir, faça sem fazer. Se não fizer isso, minha tradução será apenas mais uma desse grande clássico que fica em sua estante.

Cante em voz alta — e muito. Isso é hermenêutica em ação. O termo "hermenêutica" vem do deus grego Hermes, o grande comunicador, que levava as mensagens dos deuses aos seres humanos. Quando entoamos o *Tao Te Ching*, o que você está fazendo, de modo preciso, é se comunicar com o céu e novamente com a Terra. Faça isso. Improvise o texto como um antigo contador de histórias faria. Comece sua própria lenda — seu próprio caminho para o céu e de volta para casa.

Deixe os versos e seus significados penetrarem em seus ossos e em sua alma. Liberte seu ser dentro deles, desvencilhando-se dos assuntos mundanos, sem se deixar contaminar por eles. O que esse encontro se tornar para você é seu *wei wu wei*. Meu jeito de *wei wu wei* não é o mesmo que o seu. Talvez você se torne como um daqueles enigmáticos mestres taoistas da antiga China que viviam em meio à natureza e iam à cidade apenas ocasionalmente para providenciar provisões, ter contato com outras pessoas e contar histórias, cantar e fazer preleções ao pé do fogo, ao anoitecer. Talvez encontrando a Tao do *Tao Te Ching*, você possa descobrir o lado mais indomável do seu ser — não o que seus pais queriam que você demonstrasse ou o que sua cultura desejaria ver em você, mas o que existe de mais indômito em seu íntimo. Entrar em sintonia com a Tao não é seguir regras ou usar o "mesmo molde que cabe em todo mundo". Em vez disso, a Tao convida você a ser enigmático, a ser desordenadamente, descontroladamente, você mesmo e mais ninguém. Só você.

A Tao do *Tao Te Ching* pode despi-lo até que só reste nada de tudo o que existe, assim como aconteceu comigo. Você pode descobrir o abismo ou o vazio da existência. O que poderia ser mais simples? Mais auspicioso? Mais perigoso? Não é isso que, no fundo, todos nós queremos?

Com minhas bênçãos,
Dra. Rosemarie Anderson
Ano Chinês do Rato

A TAO COMO MÃE, VIRGEM E ÚTERO DA CRIAÇÃO

O *Tao Te Ching* é reverenciado pelos chineses há mais de 2.500 anos. Reproduzido em tecidos de seda e tiras de bambu no início do século II AEC, os versos dessa obra estavam presentes na tradição oral da China Antiga, talvez já no século XI AEC. É possível que Lao-tsé, ancião contemporâneo de Confúcio no século VI AEC, tenha sido o autor dos poemas escritos. Lembrando que Lao-tsé é um título honorífico que significa "Velho Mestre", muitos mestres anciãos podem ter retransmitido e cantado esses versos nos tempos antigos.

Mesmo examinando todos os fatos e lendas conhecidos, não podemos apontar com certeza quem compôs os 81 poemas ou se eles são uma coleção de poemas compostos por muitos autores ao longo dos séculos. Quaisquer que sejam as origens do *Tao Te Ching*, traduções para o idioma ocidental não faltam desde meados do século XIX, o que faz do *Tao Te Ching* um livro de sabedoria reverenciado por pessoas de todo o mundo.

Atualmente, em pleno século XXI, as traduções para línguas ocidentais continuam a ser publicadas, sinalizando que as sabedorias antigas do povo chinês são imprescindíveis para os ocidentais e para os nossos tempos. Minha tradução enfatizando os elementos místicos, poéticos e femininos do *Tao Te Ching* está entre essas novas traduções. Talvez essa nova onda de estudos sobre o *Tao Te Ching* seja bem oportuna para nossa era. Num momento da História em que a agressividade e a ambição humanas estão fora de controle e ameaçam a vida do planeta e de suas criaturas, a grande mensagem da Tao: o *wei wu wei*, que significa "agir sem agir" e "fazer sem fazer", também nos serve de aviso. Agora é o momento de aprendermos cada vez mais a usar a maleabilidade altruísta do *wei wu wei* em nossas relações e ações pessoais no mundo. A própria Tao nunca morre, jamais se esgota e corre como um rio para sempre. Vai suportar o que quer que aconteça com a Terra e conosco. Mesmo com as apostas planetárias agora tão altas, talvez possamos ouvir sua mensagem e encontrar a paz de que precisamos tão desesperadamente uns com os outros e com o planeta Terra.

O WEI WU WEI DA TAO

A Tao é grandiosa porque é "a coisa mais maleável do mundo". Ela existe desde o início dos tempos. Retratada como a "mãe", a "virgem" e o "útero da criação" ao longo dos 81 poemas do *Tao Te Ching*, o caminho dela é como a natureza da água, superando para sempre o impossível. O Poema 43 nos diz que Ela age de modo simples e espontâneo:

> *A coisa mais maleável do mundo*
> *Supera a coisa mais rígida do mundo*
> *O que não tem existência entra onde não há espaço*
> *É assim que sabemos que ganhamos ao não agir*
> *Um ensinamento sem palavras*
> *Um progresso sem esforço*
>
> *Poucos no mundo percebem isso*

Na realidade, a "não existência" da Tao encontra espaço "onde não há espaço". Agindo com a maleabilidade e o altruísmo do *wei wu wei*, a Tao vence todos os obstáculos.

Do mesmo modo, quando imitamos a Tao e entramos em sintonia com ela, nossas ações se tornam espontâneas e altruístas. Assim começamos a enaltecer o antigo caminho conhecido pelos chineses como *wei wu wei*. Despojados do excesso de fazer e pensar, passamos a viver a partir do ponto de partida, prático e descomplicado, da criação em todos os momentos de nossa vida. Com o tempo, podemos aperfeiçoar nossa própria maneira de *wei wu wei*, agindo de modo cada vez mais espontâneo e natural. *Wei wu wei* não significa não fazer nada (não pensar, não viajar, não iniciar projetos, não cozinhar, não semear um jardim na primavera e assim por diante), pelo contrário. Pois, quando deixamos de lado o ganho pessoal, nossas ações ocorrem naturalmente para atender às situações e aos acontecimentos, sem planejamento ou artifícios prévios ou a expectativa de agradar ou de sermos reconhecidos ou recompensados pelo que fizemos. Entrar em sintonia com a Tao é buscar o que é inferior e mais necessitado, como uma mãe poderia agir natural e espontaneamente em benefício de um filho em perigo. Citando minha tradução do Poema 8:

> *O maior bem é como a água*
> *Leva bondade a todas as coisas sem dificuldade*
> *Buscando os lugares baixos que os outros evitam,*
> *A Tao lembra a água*

Agindo dessa maneira, cuidamos do que é mais importante — não amanhã, mas agora. Relevantes para a situação, nossas ações podem ser rápidas ou lentas, mas com o tempo vencem os obstáculos na fonte, assim como a água esculpe desfiladeiros e move montanhas. O que é mais importante varia de pessoa para pessoa. Isso é *wei wu wei* em ação. Ao imitar a Tao, também podemos realizar o impossível. Na realidade, ao longo do tempo, esse caminho feminino para a paz causará impacto em todas as nossas relações, inclusive com animais e outras espécies, com as outras pessoas, nossa família e comunidade, a conduta dos nossos governos, das nossas nações como um todo e com o planeta Terra. Sob essa luz, nem mesmo as atuais crises políticas e ambientais vão parecer tão irreversíveis quanto hoje.

A NATUREZA FEMININA DIVINA DA TAO

A maleabilidade e o caráter misterioso da Tao sinalizam sua natureza feminina. Ao longo dos poemas, o *Tao Te Ching* refere-se repetidamente à Tao como mãe, virgem e útero. Em particular, as imagens do Poema 6 falam, de forma direta, à natureza profundamente feminina da Tao no papel de Criadora, desde o início dos tempos:

O vazio imortal
É chamado de útero escuro, o portal escuro do útero
A partir Dela
A criação lança raízes
Fios de uma teia ininterrupta
Que se espalha sem esforço

O Poema 6 começa comparando a Tao ao vazio imortal, um abismo escuro chamado de "útero escuro". Ela é a criadora do mundo e doadora de vida, gerando vida naturalmente. No entanto, o caractere chinês 玄 *hsüan*, que significa "escuro" ou "misterioso", não tem conotação de sombrio, sinistro ou agourento. Em vez disso, as antigas versões chinesas das inscrições em bronze desse caractere retratam fios tão entrelaçados que nada que estivesse do outro lado podia ser visto, sinalizando algo escondido, obscuro, misterioso, impenetrável e, por isso, escuro. O caractere depois de 玄 é 牝 *p'in*, que significa "útero da criação", abismo oculto na escuridão. No entanto, esse útero tem um "portal" através do qual os bebês e toda a criação passam sem esforço. Não só a natureza da Tao é exclusivamente feminina como também a criação é descrita como um ato solo enraizado no vazio imortal, o útero escuro. Retornando infinitamente à fonte, toda criação passa pelo seu ventre e dali para o mundo.

O Poema 6 fala de forma direta ao meu coração, revertendo repetidamente o preconceito convencional entre os tradutores do *Tao Te Ching* de que a Tao não tem gênero. Não há nada de gênero neutro quando se fala em "útero escuro", repetido duas vezes no verso 2. Embora haja outras referências à Tao como virgem e mãe em outros poemas, foi o Poema 6 que me convenceu de que eu precisava me referir à Tao como "Ela" em todos os poemas, para manter a coerência com meu novo entendimento. Depois de tomar essa decisão, comecei a retirar camadas e mais camadas de séculos de interpretações patriarcais, enquanto traduzia e revisava o restante dos poemas, para revelar a natureza feminina da Tao. Interpretar a Tao como algo profundamente feminino também conferiu à minha tradução uma natureza coerente e reveladora da verdade que surpreendeu até a mim mesma.

Do mesmo modo, o Poema 1 do *Tao Te Ching* oferece sinais inequívocos da natureza feminina da Tao. Por ironia, entretanto, a primeira estrofe do Poema 1 pode ser considerada uma espécie de "isenção de responsabilidade", em termos modernos:

A Tao que pode ser pronunciada
Não é a Tao eterna
O nome que pode ser nomeado
Não é o nome eterno

Ou seja, a "Tao que pode ser pronunciada" não é a Tao que existe! A Tao eterna não pode ser descrita — o que nos faz questionar por que compor 81 poemas sobre algo que não se pode acessar por meio de palavras. Na verdade, o que explica a popularidade do *Tao Te Ching* é sua beleza e brilhantismo ao fazer o impossível. Para ser mais específica, poemas, frases e estrofes enigmáticas como essas são sucedidas de afirmações explicitamente esotéricas, que só podem vislumbrar e entender aqueles que podem ver, através de fios retorcidos, as sutilezas do outro lado. A segunda estrofe é composta de quatro dessas afirmações, cada uma tão mística que mal é compreensível, talvez sinalizando que compreender seus significados é tarefa para uma vida inteira:

A que não tem nome é a virgem de todas as coisas
A que tem nome é a mãe de todas as coisas
Livres do desejo vemos sutilezas
Sem sermos livres vemos apenas coisas

Aquilo que é chamado de "a que não tem nome" e "a que tem nome" nessa estrofe remete a um tema recorrente no *Tao Te Ching*, que desacredita o costume de dar nome às coisas ou aos acontecimentos. De modo mais específico, dar nome seria como cortar as coisas em partes. Quanto mais são cortadas e separadas da fonte, mais as coisas se afastam do que é chamado de natureza original ou verdadeira. Elas perdem integridade. A "virgem de todas as coisas" do primeiro verso, no entanto, permanece na imaculada natureza original. A que é virgem se mantém sem nome e permanece sempre original. Na verdade, o caractere chinês 始 shih, que traduzi por "virgem", é composto de dois caracteres simplificados chamados "radicais". Da direita para a esquerda, o primeiro radical 台 significa "forte pressão para baixo", e o segundo radical 女 significa "mulher". Juntos, eles significam uma mulher dando à luz ou uma mulher grávida. Como o *Tao Te Ching* foi composto antes que se soubesse qual era exatamente o papel dos homens na procriação, acreditava-se que a criança nascia de uma fonte oculta no corpo da mulher, por meio do parto. Ela, provavelmente, não era chamada de virgem pelo fato de nunca ter chegado a conhecer "a união entre mulher e homem" (assim como a relação sexual é descrita no Poema 55), mas porque uma mulher dando à luz remete ao poder sempre gerador do útero escuro, citado no Poema 6. Por outro lado, a mãe de todas as coisas tem nome e, portanto, é vista e se manifesta no mundo. Nos termos da metafísica moderna, a virgem representa a natureza primordial e transcendente da Tao, e a mãe, a natureza manifesta e expansiva da Tao no mundo.

A estrofe final do Poema 1 continua afirmando que a virgem e a mãe são uma unidade que se divide em duas no mundo:

As duas [a virgem e a mãe] são uma só
Ainda assim aparecem como duas
Uma unidade chamada escuridão
A escuridão além da escuridão é
A porta para todas as sutilezas

Essa unidade de virgem e mãe é chamada de "a escuridão além da escuridão". Na realidade, como o útero escuro do Poema 6, essa escuridão além da escuridão também tem uma porta ou um portal. Ou seja, apenas aqueles em sintonia com a Tao podem vislumbrar além da porta e ver as miríades de sutilezas da criação. Somente livres do desejo e vivendo a vida de *wei wu wei* todos os dias podemos ver através da verdade desse mistério duplo da virgem sem forma e da mãe com forma, surgindo num ciclo interminável de vida.

SER COMO SEDA NÃO TINGIDA E MADEIRA NÃO ENTALHADA

Assim como os poemas descrevem a natureza da Tao, as ações dos sábios no *Tao Te Ching* também são descritas com metáforas obscuras. Mais especificamente, os sábios são comparados à natureza da "seda não tingida e da madeira não entalhada".

O que isso significa? Para os antigos chineses, o significado era óbvio. Ser como a seda não tingida é ser puro, imaculado e brilhante, com o brilho natural da seda crua. Ser como madeira não entalhada é ser simples, humilde e não se deixar moldar ou manipular pelos motivos do mundo. Para se tornar seda não tingida ou madeira não entalhada, é preciso descobrir o *wei wu wei* da vida cotidiana e voltar para sua natureza original, mesmo que os mandos e desmandos deste mundo ameacem consumir a todos nós. O Poema 19 vai direto ao ponto, mesmo não incentivando demais a erudição e encorajando o conhecimento adquirido diretamente da Tao e do mundo natural:

Por isso use isto para guiá-lo,
seja como seda não tingida e madeira não entalhada
Refreie o interesse próprio e contenha o desejo
Pare de estudar e as preocupações vão acabar

Além disso, ao longo dos poemas, os sábios se unem ao mundo sem opiniões predefinidas sobre quem ou o que é bom ou ruim. No *Tao Te Ching*, não existe nem mal nem pecado, no sentido teísta. Também não existem julgamentos morais sobre ações erradas, apenas uma sensação permanente de movimento para o bem, não importa quais sejam as circunstâncias. Acima de tudo, a Tao é valorizada pelos bons e ainda protege os maus de se prejudicarem, conforme descrito na primeira estrofe do Poema 62:

Todas as coisas fluem para a Tao
Um tesouro para os bons
E um escudo para os maus

Do mesmo modo, o Poema 49 retrata os sábios como bons e verdadeiros com todos, sejam pessoas boas ou ruins, verdadeiras ou mentirosas, virtuosas ou imprudentes. Em sintonia com a Tao e sem julgamento, os sábios veem a todos como iguais e que esse movimento para o que é bom e verdadeiro é sempre possível. Ninguém é deixado para trás, seja pela Tao ou pelos sábios que representam a Tao a cada dia. Como de costume, o *Tao Te Ching* afirma a questão de forma simples:

Os sábios não têm mente definida
A mente deles se liga à mente das outras pessoas
Para os bons eles são bons
Para os maus eles são bons
Até que sejam bons
Com os sinceros eles são sinceros
Com os mentirosos eles são sinceros
Até que sejam sinceros
Os sábios vivem no mundo e se unem a ele
Sua mente funciona em harmonia com o mundo
Os olhos e os ouvidos das pessoas se voltam para eles
Para que os sábios as tratem com inocência

No entanto, de todos os poemas que descrevem os sábios do *Tao Te Ching*, o Poema 20 me faz rir alto cada vez que o leio. Esse poema me parece um discurso retórico feito por um antigo mestre taoista. Talvez o mestre tenha acabado de descer a montanha e caminhado até a cidade para comprar provisões. Gosto do fato de ele rir de si mesmo por se sentir "confuso e desorientado", em comparação àqueles que parecem "lúcidos e brilhantes". Em sintonia com o "leite" da Tao e por ele nutrido, ele vive indiferente à folia e à irreflexão que ocorre nas aldeias. Ele exclama:

Sim e não
Eles são tão diferentes?
Bom e ruim
Eles estão tão distantes assim?
O que os outros temem
Devo temer também
Quanta inconsequência! Sem fim!
A maioria das pessoas está feliz e se divertindo
Como se celebrasse o Grande Sacrifício
E escalasse um mirante na primavera

Só eu estou parado!
Como alguém sem preferências
Como uma criança que nunca sorri
Perdido!
Como um sem-teto

A maioria das pessoas tem em excesso
Só eu pareço carente
Com a mente de um tolo!
Confuso e desorientado!
Outros são lúcidos e brilhantes
Só eu sou obtuso
A maioria das pessoas é esperta e segura
Apenas eu sou lerdo e imbecil
Sossegado!
Inconstante como o oceano
Sem rumo!
À deriva, sem uma âncora
A maioria das pessoas tem coisas a fazer
Só eu pareço bronco e inábil
Diferente dos outros
Porque aprecio o leite da Mãe

O *WEI WU WEI* DA SABEDORIA E DA LIDERANÇA

De acordo com a tradição chinesa, já existiram, um dia, lendários e sábios governantes na China que administravam a nação sem interferir na vida cotidiana das pessoas. Em sintonia com a Tao, esses governantes deixavam as pessoas em paz para gerir seus negócios localmente. Agindo assim, eram *wei wu wei* em ação. Os dias passavam. Ninguém ouvia uma palavra do governo. O povo enfrentava os desafios do lugar em que vivia, apoiando-se mutuamente, porque a falta de diretrizes do governo e de forças externas estimulava a benevolência natural e espontânea de cada ser humano, um pelo outro. A liderança pode se tornar mais feminina se liderar de modo a criar comunidades em que todos acreditam que são parte da solução:

Grandes governantes nem são notados pelo povo
Os segundos melhores são amados e elogiados
Os que vêm depois são os temidos
A seguir vêm os desprezados
Quando a integridade diminui
A confiança não é retribuída

Tenha cautela!
Dispense as palavras
Deixe tarefas e obras concluídas
Pensamento natural e todo mundo ocupado

É evidente que as ações e os motivos dos governantes e líderes descritos em detalhes no Poema 17 são diferentes das atitudes da maioria dos políticos e líderes corporativos dos nossos tempos. Normalmente, com exceção talvez de algumas culturas indígenas ao redor do mundo, tendemos a esperar que o governo e nossos líderes encontrem soluções e criem leis para nos proteger e punir aqueles que causam prejuízos. Claro que a volta para o tipo simples de governo expresso no Poema 17 pode não funcionar em sociedades técnicas complexas e industrializadas como a nossa hoje. No entanto, a crença de que as pessoas são essencialmente boas e capazes de encontrar as próprias soluções sem a interferência do governo é destacada nesse poema e em outros do *Tao Te Ching*. Ou seja, em vez da interferência do governo, o *wei wu wei* da Tao incentiva iniciativas espontâneas de indivíduos e comunidades locais, acreditando que, se tiver autonomia e não sofrer a interferência do governo, o povo encontrará a solução mais simples e econômica para todos. Embora isso possa parecer ingenuidade nos dias de hoje, o sentimento não é diferente do atual refrão "Pense globalmente, aja localmente". Como sabemos muito bem, as soluções impostas de cima nem sempre funcionam localmente. O *Tao Te Ching* incentiva, antes de mais nada, a cautela e um governo que atue com benevolência, mas raramente intervenha de maneira direta.

Como eu já disse, os sábios representam a Tao sendo maleáveis e vazios do fazer. Na realidade, a paciência *wei wu wei* e a moderação na ação aplicam-se a todos os tipos de liderança, seja no governo, nos negócios, no ambiente doméstico ou em cada um de nós em relação às outras pessoas, uma vez que é inevitável que influenciemos e lideremos uns aos outros. Acima de tudo, como ilustrado pelo Poema 29, não se recomenda a aplicação de força em nenhum contexto:

> *Agir com força sobre o mundo*
> *Vejo como algo fadado ao fracasso*
> *Tudo abaixo do Céu é um vaso sagrado*
> *A força não pode ter sucesso!*

Forçar é estragar
Agarrar é destruir

Com as coisas mundanas,
Alguns conduzem
Alguns seguem
Alguns respiram
Alguns ofegam
Alguns aumentam
Alguns diminuem

Assim os sábios
Abandonam extremos
Abandonam a extravagância
Abandonam o excesso

A REPRESENTAÇÃO DA TAO FEMININA

No *Tao Te Ching*, a Tao é retratada como algo de natureza feminina e imortal. De modo parecido, os sábios também são dotados de qualidades femininas, como maleabilidade, moderação, humildade e capacidade de perdoar e deixar de lado ressentimentos e opiniões radicais sobre como as coisas e as pessoas deveriam ser. Como já mencionado, devemos evitar extremos, extravagâncias e excessos. Mas, mais que isso, somos exortados a ser como a água e buscar "lugares baixos, que os outros evitam". Agindo desse modo, não haverá nada que não possamos realizar, porque vamos fundo, espontânea e prontamente, numa situação ou desafio, contornando-os e vencendo-os, assim como a água esculpe desfiladeiros e move montanhas no caminho para o mar. Essa é a ação *wei wu wei*. Na verdade, os problemas mais difíceis se resolvem com o tempo, se abordados com a humildade e a praticidade da Tao.

Várias vezes, o *Tao Te Ching* nos convida a voltar à fonte, a raiz da criação chamada de útero escuro da Tao. A partir desse vazio feminino escuro, a criação se renova infinitamente como "fios de uma teia ininterrupta que se espalha sem esforço". Ao imitar o modo de ação natural e espontâneo da Tao, entramos em sintonia com a harmonia essencial do mundo, à medida que ele é criado e recriado a todo momento. Sejam quais forem nossas circunstâncias pessoais e sociais, nossa vida se torna cada vez mais harmoniosa, pois vivemos o dia a dia sem forçar os acontecimentos e as circunstâncias a nos favorecer. Em vez do pensamento condicionado e das ações premeditadas, entramos em sintonia com a existência, deixando-a fluir naturalmente, e não de acordo com nossa vontade. Convictos de que a Tao favorece o potencial bom em cada situação, fluímos com o que precisa mudar neste mundo. Agindo assim, nós nos tornamos livres; alguns até arriscam a dizer que nos tornamos sábios ou iluminados.

ORIGENS, LENDAS E MANUSCRITOS ANTIGOS

Se Lao-tsé era uma pessoa real ou uma lenda (e que tipo de pessoa real poderia ser), é uma questão que se entrelaça com a história dos próprios manuscritos do *Tao Te Ching*. Estudiosos e admiradores do *Tao Te Ching* são forçados a examinar e a escolher entre lendas transmitidas ao longo dos séculos, fatos históricos contestados e detalhes sobre as origens e alterações de manuscritos antigos.

QUEM FOI LAO-TSÉ?

De acordo com o *Shiji* ("Registros Históricos", em chinês), escrito em 100 AEC., aproximadamente, pelo historiador Sima Qian, da corte da dinastia Han, Lao-tsé (ou Laozi, em *pinyin*[1]) nasceu no estado de Ch'u, no povoado de Huhsien, ao sul do rio Huangho, ou Amarelo. A região é uma planície agrícola muito cobiçada devido às inundações regulares do rio Amarelo, assim chamado por causa da cor do lodo, que contém grande acúmulo de materiais em suspensão, como partículas de areia muito finas. Sima Qian não estabeleceu uma data para o nascimento de Lao-tsé (provavelmente porque não sabia). Contudo, outros registros dizem que Lao-tsé nasceu no século VI AEC e foi contemporâneo mais velho de Kung Fu-tsé, conhecido pelos ocidentais como Confúcio (551-479 AEC.). Lao-tsé é um título honorífico que significa "Velho Mestre". Uma variedade de fontes informa que seu sobrenome era Li, e seu primeiro nome, Erh, que significa "ouvido" ou "erudito". Mais tarde, ele recebeu o nome póstumo de Tan, que significa "longas orelhas" e, portanto, "sábio", segundo a fisiognomia tradicional chinesa.

De acordo com a tradição, Lao-tsé era o guardião dos arquivos reais da dinastia Chou em Wangcheng. Quando essa dinastia foi derrubada e os arquivos reais foram levados em 516 AEC, Lao-tsé abandonou a cidade e se dirigiu a Hanku Pass,

---

1. Uma das formas de transliterar os signos chineses para a escrita ocidental. (N. da T.)

fronteira noroeste que separava a dinastia Chou dos bárbaros "incivilizados". Lao-tsé foi reconhecido por Yin Hsi, o guarda da fronteira, que lhe pediu que, antes de sair da China, deixasse um registro dos seus ensinamentos. Depois de algum tempo, o sábio lhe entregou um livreto que continha em torno de cinco mil caracteres chineses e foi inicialmente chamado de *Tao e Te de Lao-Tsé*, por causa do caractere chinês 道 *Tao*, no primeiro verso do Poema 1, e do caractere 德 *Te*, que significa "virtude", no primeiro verso do Poema 38. Mais tarde, quando o livro foi oficializado durante a dinastia Han, um caractere chinês honorífico 經 *Ching*, que significa "clássico", foi acrescentado ao título, o que resultou em *Tao Te Ching*, muitas vezes traduzido como "O Clássico do Tao e da Virtude".

Outros registros de tempos antigos afirmam, porém, que Lao-tsé não foi o autor do *Tao Te Ching*. Alguns defendem a ideia de que o autor foi Lao Tan, que ocupava o cargo de guardião dos arquivos reais no século IV AEC. Outros dizem que Lao Tan foi um professor sábio e popular do século IV AEC, mas não o autor do *Tao Te Ching*. Uma visão que muitos compartilham nos dias atuais é que o *Tao Te Ching* é uma antologia de vários ensinamentos e ditados populares reunidos com base em longa tradição oral que remonta ao século XI AEC. Vários estudiosos acreditam que esses ensinamentos foram copiados imúmeras vezes por muitos escribas, em diversos locais da China ao longo dos séculos, para serem preservados.

MANUSCRITOS DO *TAO TE CHING* E OPÇÕES DE TRADUÇÃO

A história da descoberta dos antigos manuscritos do *Tao Te Ching* é um conto de intrigas, não muito diferente dos fatos e lendas sobre o(s) autor(es) que o(s) compôs(useram). À medida que novas descobertas são feitas, as interpretações históricas sobre o texto e sua autoria se alteram. A maioria desses manuscritos antigos foi descoberta apenas nas últimas décadas, em sepulturas das famílias da realeza chinesa. Felizmente, a maior parte deles foi descoberta e escavada por arqueólogos profissionais. No entanto, ladrões de túmulos que descobriram esses artefatos podem tê-los vendido a museus a preços altos e os comercializado no mercado negro internacional de antiguidades, resultando no que agora é chamado de "arqueologia do resgate".

Até pouco tempo atrás, têm sido considerados os manuscritos-padrão do *Tao Te Ching*: a versão conhecida como o texto recebido e os comentários de Wang Bi, intérprete do século III EC, e o manuscrito de Heshanggong, eremita que, por tradição, é considerado do século II AEC, mas que estudiosos modernos acreditam ter vivido no século III ou IV EC. No entanto, descobertas recentes de manuscritos antigos anteriores a esses em vários séculos mudaram o critério para determinar qual manuscrito é mais confiável. A mais significativa dessas descobertas ocorreu em 1973, quando dois manuscritos em seda do *Tao Te Ching*, conhecidos como Mawangtui A e B, desencadearam uma onda de interesse pelo *Tao Te Ching*. Uma tumba desconhecida perto da aldeia de Mawangtui, nas proximidades de Changsha, na província de Hunan, foi descoberta quando construtores escavavam o lugar para a construção de um hospital. Gás surgiu dos subterrâneos e inflamou. Como se sabia que as tumbas antigas eram seladas com gás combustível, foram iniciadas escavações arqueológicas que desenterram um tesouro de antigos artefatos, incluindo Mawangtui A e B. A tumba fora selada em 168 AEC, e seus tesouros, considerados pertencentes a um período um pouco anterior a isso. Mawangtui A é escrito numa escrita selada pequena, mais antiga, e Mawangtui B, numa escrita clerical posterior, e ambos os manuscritos são datados do fim do século II AEC.

Em 1993, porém, na aldeia de Guodian, próxima a Jingmen, na província de Hubei, ocorreu uma nova descoberta arqueológica. Ladrões de túmulos entraram numa tumba conhecida, foram flagrados e fugiram. Para adentrar a tumba, no entanto, fizeram um pequeno buraco na superfície, permitindo que água e oxigênio entrassem no local. Em seguida, os arqueólogos escavaram a tumba, mas sem esperar descobertas significativas. Para surpresa de todos, porém, ela continha um tesouro de artefatos, incluindo 730 tiras de bambus com inscrições. A escrita foi identificada como a antiga escrita de Ch'u, e a tumba datada de cerca de 300 AEC, várias décadas antes dos manuscritos de Mawangtui. As próprias tiras de bambu foram descobertas amontoadas numa pilha, cobertas de lama e com as amarrações deterioradas. Depois que as tiras de bambu foram limpas, preservadas e colocadas em sequência, descobriu-se que aproximadamente dois mil caracteres legíveis correspondiam a três seções do *Tao Te Ching*. Embora existam variações tanto no texto de Guodian quanto no de Mawangtui, os manuscritos são, em geral, coerentes com textos de séculos posteriores, o que é notável, tendo em vista que muitas cópias do *Tao Te Ching* podem ter ficado em circulação por vários séculos. Com o tempo, é claro que novos achados arqueológicos podem trazer à tona novas cópias de manuscritos do *Tao Te Ching* e novas tecnologias podem revelar percepções de períodos anteriores aos do século II AEC para enriquecer nossa compreensão do texto e de sua história.

Ao traduzir o *Tao Te Ching*, escolhi como principal fonte os dois manuscritos de seda descobertos em 1973, na vila de Mawangtui, e o manuscrito de bambu descoberto em 1993, na aldeia de Guodian. Os três manuscritos ocupam lugar de destaque, sendo os mais antigos manuscritos conhecidos do *Tao Te Ching*.

O *TAO TE CHING*: UMA TRADIÇÃO ORAL REGISTRADA

Alguns estudiosos afirmam que os poemas do *Tao Te Ching* foram transmitidos durante séculos por tradição oral. Concordo com essa afirmação e baseio essa conclusão principalmente no estilo de composição dos manuscritos, que apresentam marcas de tradição oral. Os versos dos poemas são, em geral, curtos e têm rimas que os tornam mais fáceis de memorizar e recitar em

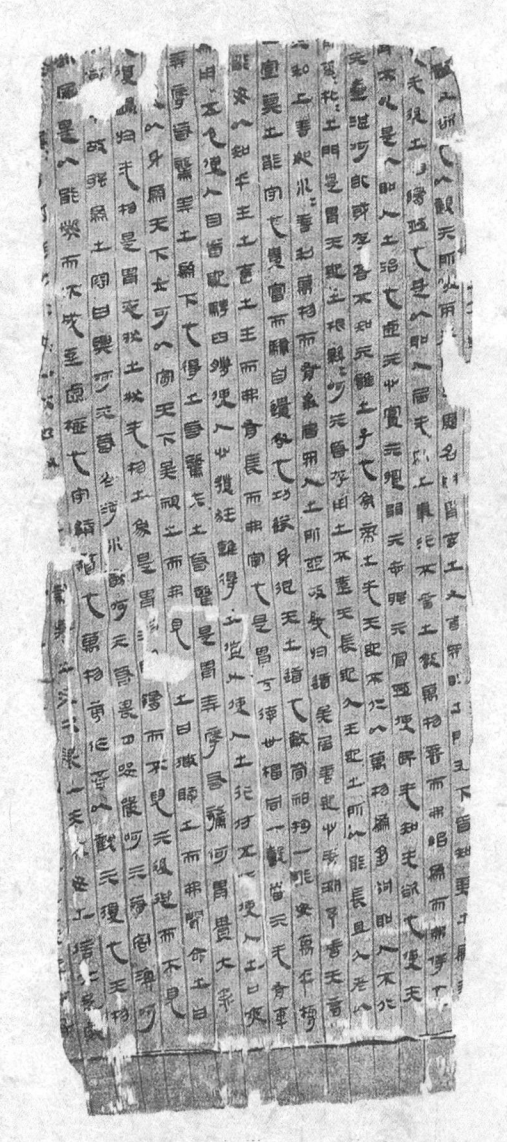

Manuscrito de seda de Mawangtui

público. Muitos versos me lembram letras de música, por isso não fiquei surpresa ao saber que o *Tao Te Ching* é, há muitíssimo tempo, musicado.

Desde o século VI AEC, ou até mesmo antes, eremitas que viviam sozinhos em meio às benesses e aos rigores do mundo natural iam ocasionalmente às aldeias em busca de provisões. Alguns deles podem ter sido contadores de histórias e trovadores que compunham e improvisavam poemas e contos que conheciam em torno de uma fogueira ou lareira ao anoitecer, assim como contadores de histórias e trovadores fazem desde tempos imemoriais, em culturas tradicionais do mundo todo. Desde o século III, ou talvez antes, vários poemas foram reproduzidos em manuscritos antigos, no intuito de preservá-los.

O TAO TE CHING DE LAO-TSÉ

Tao, escrita moderna

– 1 –

A Tao que pode ser pronunciada
Não é a Tao eterna
O nome que pode ser nomeado
Não é o nome eterno

A que não tem nome é a virgem de todas as coisas
A que tem nome é a mãe de todas as coisas
Livres do desejo vemos sutilezas
Sem sermos livres vemos apenas coisas

As duas são uma só
Ainda assim aparecem como duas
Uma unidade chamada escuridão
A escuridão além da escuridão é
A porta para todas as sutilezas

— 2 —

O mundo conhece a beleza
Mas quando a beleza aparece
A feiura surge também
O mundo conhece a virtude
Mas quando a virtude aparece
A imprudência surge também

Presença e ausência geram uma à outra
Difícil e fácil definem um ao outro
Longo e curto compensam um ao outro
Alto e baixo posicionam um ao outro
Som e silêncio harmonizam um ao outro
Da frente e por último seguem um ao outro

Por isso os sábios permanecem sem ação
Ensinam sem palavras

Tratam de todas as coisas sem recuar
Agem sem expectativas
Têm sucesso sem se arrogar
Ao não se arrogar
Nada é perdido

– 3 –

Não exaltar os merecedores
Evita que as pessoas briguem
Não apreciar objetos preciosos
Evita que as pessoas roubem
Não ostentar posses
Acalma a mente das pessoas

Assim, governar à maneira dos sábios
Esvazia a mente
Enche o estômago
Diminui a ambição
Fortalece o caráter
Mantém as pessoas inocentes e satisfeitas
E as ladinas com receio de agir

Aja sem agir
E nada ficará fora do lugar

– 4 –

A Tao é vazia
Mesmo quando usada
Nunca se esgota
Um abismo!
Que parece o ancestral de todos

Ela apara nossas arestas
Afrouxa nossas amarras
Ajusta nossa luz
Funde-se com a normalidade

Tão tranquila!
Ela parece sempre presente
Não sabemos filha de quem ela é
Parece existir
Desde antes da criação

– 5 –

O Céu e a Terra não têm prediletos
São neutros com respeito à criação
Os sábios não têm prediletos
São neutros com respeito às pessoas

Entre o Céu e a Terra
O espaço é como um fole!
Vazio, mas nunca com falta
Quanto mais bombeado, mais ar ele sopra

Muita conversa o exaure
Melhor se manter no centro

– 6 –

O vazio imortal
É chamado de útero escuro, o portal escuro do útero
A partir Dela
A criação lança raízes
Fios de uma teia ininterrupta
Que se espalha sem esforço

Feminino, escrita no estilo pequeno selo

Feminino, escrita moderna

– 7 –

O Céu é eterno
E a Terra, perpétua
Céu e Terra são eternos e perpétuos
Pois não vivendo para si
Podem para sempre existir

Desse modo, os sábios se colocam por
último e terminam na frente
Neutros consigo mesmos, eles resistem
Não é porque são abnegados
Que podem aperfeiçoar o próprio eu?

– 8 –

O maior bem é como a água
Leva bondade a todas as coisas sem dificuldade
Buscando os lugares baixos que os outros evitam,
A Tao lembra a água.

Água, escrita oracular sobre osso

Para uma casa
O bom é a terra
Para a mente
O bom é a profundidade

Para os relacionamentos
O bom é a gentileza
Para o discurso
O bom é a confiabilidade
No governo
O bom é a paz
No trabalho
O bom é a habilidade
Nas ações
O bom é saber o melhor momento

Acima de tudo, não lute
Permaneça sem acusar

– 9 –

Continuar até encher até a borda não é
tão bom quanto parar a tempo
Malhar para afiar uma ponta não vai fazê-la durar mais
Salas cheias de ouro e joias não podem ser protegidas
Orgulho da riqueza e do poder é convite para o infortúnio

Quando sua tarefa estiver concluída, retire-se
Essa é a Tao do Céu

– 10 –

Você pode abraçar e unificar o seu espírito e não dividir?
Você pode concentrar seu ch'i e torná-lo tão
suave quanto a respiração de um bebê?
Você pode limpar seu espelho negro e livrá-lo da sujeira?
Você pode amar o povo e governar o estado sem inteligência?
Você pode receber como uma mulher enquanto
o destino abre e fecha suas portas?
Você pode trazer luz ao mundo sem tentar?

Dar à luz e nutrir
Criar e não reivindicar para si
Liderar e não controlar
Isso é chamado de virtude obscura

– 11 –

Trinta raios unem-se a um centro
Mas o vazio no centro
Dá um propósito à roda
Molde a argila para formar um cântaro
Mas o vazio no centro
Dá um propósito ao cântaro
Abra portas e janelas para construir uma casa
Mas o vazio no centro
Dá um propósito à casa

Portanto, as coisas são úteis, mas o vazio
faz que cumpram sua função

Não, sem, vazio, em escrita cursiva

– 12 –

As cinco cores cegam os olhos
Os cinco tons ensurdecem os ouvidos
Os cinco sabores embotam o paladar

Correr e perseguir deixa nossa mente agitada
Coisas preciosas levam a ações erradas

É por isso que os sábios seguem seu ventre
e não o que os olhos veem
Por isso eles rejeitam estes e favorecem aquele

– 13 –

Favor e desgraça vêm como avisos
Honra e sofrimento acompanham o corpo

O que significa que favor e desgraça vêm como avisos?
O favor é arriscado
Receba-o com um tremor
Perca-o com um tremor
Considere ambos como avisos

O que significa que honra e sofrimento
acompanham o corpo?
A razão de sofrermos
Vem do fato de termos um corpo
Se não tivéssemos corpo
Por que nos preocuparíamos?

Dessa maneira, aqueles que valorizam
o próprio corpo como o mundo
Podem ser confiáveis com o mundo
E aqueles que prezam o próprio corpo como o mundo
Podem ser confiáveis para cuidar de todos sob o Céu

– 14 –

O que não pode ser visto é chamado turvo
O que não pode ser ouvido é chamado indistinto
O que não pode ser agarrado é chamado sem forma
Três maneiras de saber que confundem
E se unem como uma só
Acima é vago e o fundo é turvo
Como fios torcidos sem nomes
Que escoam até perder a forma
Forma sem forma
Forma sem substância
Chamada de constante mudança
Um rosto que não se pode ver
Um dorso que não se pode seguir

Aqueles que se fiam na antiga Tao
São mestres da existência como ela é
E conhecem a virgem sem idade
Isso é chamado de o fio da Tao

– 15 –

Grandes mestres de tempos antigos
Captaram sua verdadeira natureza
E sondavam a escuridão
Você não pode conhecê-los
Uma vez que eles não podem ser conhecidos
Com relutância
Sou compelido a descrevê-los

Eles são
Cuidadosos como se cruzassem um rio no inverno!
Alertas ao perigo que vem de todas as direções!
Atentos como um hóspede!
Maleáveis como gelo derretido!
Simples como madeira não esculpida!
Abertos como um vale!
Obscuros como água lamacenta!
Embora como água lamacenta quando parada
Eles se tornam transparentes
Quando em quietude
Eles aos poucos se movem para a ação

Aqueles que abraçam a Tao
Se guardam contra o excesso
Sem nunca transbordar
Eles envelhecem e permanecem novos

– 16 –

Leve o vazio à plenitude
Permaneça tranquilo em seu centro

Dez mil coisas surgem juntas
Nós testemunhamos seu retorno
Todas as coisas florescem em profusão
Cada uma delas voltando à sua raiz
Voltar à raiz é ficar na quietude
É o que se chama de retorno à fonte

Voltar à fonte é ser eterno
Conhecer o eterno é o que se chama iluminação
Não conhecer o eterno incita ao erro e ao infortúnio
Conhecer o eterno é abarcar tudo

Abarcar tudo é ser neutro
Ser neutro é ser nobre
Ser nobre é ser uno com o Céu
Ser uno com o Céu é ser uno com a Tao
Ser uno com a Tao é viver muito
Até o fim da vida, sem perigo

– 17 –

Grandes governantes nem são notados pelo povo
Os segundos melhores são amados e elogiados
Os que vêm depois são os temidos
A seguir vêm os desprezados
Quando a integridade diminui
A confiança não é retribuída

Tenha cautela!
Dispense as palavras
Deixe tarefas e obras concluídas
Pensamento natural e todo mundo ocupado

– 18 –

Quando a grande Tao declina
Bondade e moralidade ascendem
Quando o conhecimento e a inteligência aparecem
Grandes hipocrisias surgem
Quando as seis relações não estão em harmonia
Dever e devoção despontam
Quando um país está em meio ao caos e ao conflito

– 19 –

Abandone a santidade e renuncie à astúcia
E o povo se sentirá cem vezes melhor
Abandone a bondade e renuncie à justiça
E as pessoas vão amar e obedecer umas às outras
Abandone a astúcia e renuncie ao egoísmo
E ladrões e larápios vão desaparecer
No entanto, esses três dizeres são mero adorno e insuficientes

Por isso use isto para guiá-lo,
seja como seda não tingida e madeira não entalhada
Refreie o interesse próprio e contenha o desejo
Pare de estudar e as preocupações vão acabar

– 20 –

Sim e não
Eles são tão diferentes?
Bom e ruim
Eles estão tão distantes assim?
O que os outros temem
Devo temer também
Quanta inconsequência! Sem fim!
A maioria das pessoas está feliz e se divertindo
Como se celebrasse o Grande Sacrifício
E escalasse um mirante na primavera

Só eu estou parado!
Como alguém sem preferências
Como uma criança que nunca sorri
Perdido!
Como um sem-teto

A maioria das pessoas tem em excesso
Só eu pareço carente
Com a mente de um tolo!
Confuso e desorientado!
Outros são lúcidos e brilhantes
Só eu sou obtuso
A maioria das pessoas é esperta e segura
Apenas eu sou lerdo e imbecil
Sossegado!
Inconstante como o oceano
Sem rumo!
À deriva, sem uma âncora
A maioria das pessoas tem coisas a fazer
Só eu pareço bronco e inábil
Diferente dos outros
Porque aprecio o leite da Mãe

– 21 –

A propagação da grande virtude
Flui apenas da Tao
Mas a natureza da Tao
Não tem forma nem contorno
Vaga! Enganosa!
Mas dentro está uma imagem
Turva! Obscura!
Mas dentro está uma essência
Escondida! Escura!
Mas dentro está o espírito
Um espírito tão vital que
Ela é Sua própria prova

Ao longo das eras
A natureza Dela permanece
Por isso vemos a origem de todas as coisas
Como sabemos a origem de todas as coisas?
A partir disso

– 22 –

Os humildes se tornam inteiros
Os tortos se endireitam
Os vazios se tornam cheios
Os desgastados se tornam novos
Os pobres ficam contentes
E os ricos ficam confusos

Por isso os sábios abraçam o Uno
E se tornam pastores para o mundo
Sem alardear que estão certos, eles se destacam
Sem exibir seu brilho
Sem se gabar, eles têm sucesso
Sem se vangloriar, eles resistem
Como eles não competem
Ninguém compete com eles

Os antigos diziam que os humildes se tornam inteiros
Como essas palavras podem ser vazias?
Tornar-se inteiro depende disso

– 23 –

Dizer poucas palavras alinha-se com a natureza
Ventos fortes não duram toda manhã
Nem chuvas o dia todo
O que os causa?
Céu e Terra
Se o Céu e a Terra não podem mantê-los
Que dirá os seres humanos?

Assim em tudo que você faz
Siga a Tao e seja uno com a Tao
Na virtude, seja uno com a virtude
Na perda, seja uno com a perda

Seja uno com a virtude e a Tao também ganha
Seja uno com a perda e a Tao também perde

– 24 –

Ficar na ponta dos pés é instável
Andar a passos largos não é ir longe
Se exibir não é brilhar
Buscar atenção não é ser visto
A ostentação não tem nenhum mérito
Desfilar por aí abrevia a vida

Aqueles que conhecem a Tao dizem
Comida demais e afazeres em excesso
São coisas a rejeitar
Aqueles que vivem a Tao não se entregam a indulgências

– 25 –

Uma presença sem forma existia
Antes que o Céu e a Terra surgissem
Silenciosa! Vasta!
Solitária e irrestrita
Ela pode ser a mãe do mundo
Não sei o nome Dela
Eu A chamo de Tao
Obrigado a descrevê-La
Eu A chamo de grandiosa

Grandiosa significa seguir em frente
Seguir em frente significa ir longe
Ir longe significa voltar

A Tao é grandiosa
O Céu é grandioso
A Terra é grandiosa
O rei também é grandioso
O reino contém quatro grandiosidades
O rei é uma das quatro

Os seres humanos imitam a Terra
A Terra imita o Céu
O Céu imita a Tao
A Tao imita Ela própria

– 26 –

A equanimidade é a raiz da despreocupação
A quietude é a soberana da agitação

Por isso os sábios viajam o dia todo
Nunca longe de provisões
Quando em lugares protegidos
Eles permanecem serenos e livres de preocupação

Por que os governantes de um vasto país
Tratam-se com mais leveza que o mundo?
Ser despreocupado é perder as raízes
Ficar inquieto é perder a soberania

– 27 –

A caminhada habilidosa não deixa rastros
Palavras habilidosas não deixam nada a corrigir
O cálculo habilidoso não calcula
A fechadura habilidosa não bloqueia portas
e, ainda assim, ninguém pode abri-las
A união habilidosa não usa cordas e, no
entanto, ninguém consegue afrouxá-la

Por isso os sábios são hábeis em resgatar as pessoas
Eles não abandonam ninguém
Hábeis que são em se importar com as coisas
Eles não abandonam nada
Isso é chamado de sustentar a luz

Por essa razão os hábeis ensinam os inábeis
E os inábeis estão a cargo dos hábeis
Não honrando os professores
Não cuidando dos inábeis
Até os sábios podem se perder
Isso é chamado de o mais sublime

– 28 –

Conheça o masculino
Mas mantenha o feminino
E seja para o mundo um canal
Como um canal para o mundo
Sua natureza original nunca se afasta
Não se afastando da natureza original
Você se torna uma criança recém-nascida outra vez

Conheça o glorioso
Mas defenda o humilde
E seja para o mundo um espelho
Como um espelho para o mundo
Sua natureza original se satisfaz
Satisfazendo à natureza original
Você se torna como madeira não entalhada outra vez

Conheça o brilhante
Mas mantenha a escuridão
E seja para o mundo um modelo
Como modelo para o mundo
Sua natureza original nunca se afasta
Não se afastando da natureza original
Você fica novamente sem limites
A madeira não entalhada é cortada e se torna ferramentas
Os sábios as usam para governar
Mestres escultores não cortam

– 29 –

Agir com força sobre o mundo
Vejo como algo fadado ao fracasso
Tudo abaixo do Céu é um vaso sagrado
A força não pode ter sucesso!
Forçar é estragar
Agarrar é destruir

Com as coisas mundanas,
Alguns conduzem
Alguns seguem
Alguns respiram
Alguns ofegam
Alguns aumentam
Alguns diminuem

Assim os sábios
Abandonam extremos
Abandonam a extravagância
Abandonam o excesso

– 30 –

Em harmonia com a Tao
Oriente seus governantes a não usar
armas para governar o mundo
Essas ações atraem uma resposta semelhante
Onde os exércitos acampam
Arbustos espinhosos crescem

Os habilidosos têm êxito e depois param
Não se atreva a agarrar à força
Tenha êxito sem orgulho
Tenha êxito sem se gabar
Tenha êxito sem brutalidade
Tenha êxito com relutância
Isso é ter êxito sem violência

As coisas atingem o apogeu e declinam
Isso não é Tao
O que não é Tao logo acaba

– 31 –

Certamente as armas são presságio de perigo
Algumas coisas demonstram só torpeza de coração
Portanto, aqueles que vivem a Tao resistem a usá-las
Em casa, os governantes favorecem os fracos
E só na guerra favorecem os fortes

Armas não são auspiciosas
Governantes sábios só as usam como último
recurso e esse privilégio restringem
Melhor permanecer em paz e tranquilo
Mesmo na vitória eles não se celebram
Deleitar-se com armas é gostar de matar
Aqueles que gostam de matar
Não ganham nada neste mundo!

Em tempos felizes, favoreça os fracos
Em tempos difíceis, favoreça os fortes
O segundo em comando fica à esquerda
E o comandante fica à direita
Isso significa que combatem como se
estivessem conduzindo um funeral
Lamentam e choram os mortos
E observam a vitória com pesar

– 32 –

A Tao eterna não tem nome
Tão simples e pequena que
Ninguém pode comandá-La!
Mas se os governantes cedessem a Ela
O mundo se renderia a eles

Quando o Céu e a Terra se unem
Um doce orvalho cai
Ninguém dá uma ordem
Porém a harmonia desce sobre todos

Os nomes vêm do corte das coisas em pedaços
Quando começar a dar nomes
Saiba quando parar
E poupe-se de problemas

A Tao é para o mundo
Assim como os rios e riachos são para o mar

Longevidade, escrita no estilo pequeno selo

– 33 –

Conhecer os outros é ser inteligente
Conhecer a si mesmo é ser sábio
Para comandar os outros é preciso força
Para comandar a si mesmo é preciso resistência
Perceber o contentamento é ser rico
Um grande esforço traz resolução
Permanecer estável é suportar
Morrer sem perecer é ter vida longa

– 34 –

A Tao flui por toda parte!
Ela se estende para a esquerda e para a direita
Todas as coisas dependem Dela para viver
Ela nunca vira as costas
Ela realiza seu trabalho
E não faz reivindicações

Ela está livre de desejos
Nós A chamamos de pequena
Todas as coisas se voltam para Ela
No entanto, Ela nunca controla
Nós A chamamos de grandiosa

Não se esforçando para ser grandiosos
Os sábios realizam grandes coisas

– 35 –

Pegue o Grande Espelho
E o mundo o seguirá
Vindo sem danos
Em paz, com facilidade e abundância
Pela música e pelos bolos, os viajantes farão uma pausa

Por isso a Tao fala
Suavemente!
Invisivelmente
Silenciosamente

Ainda assim, concede sem se esgotar

– 36 –

O que você deseja diminuir
Deve primeiro deixar que se estenda
O que você deseja enfraquecer
Deve primeiro deixar que se fortaleça
O que você deseja destruir
Deve primeiro deixar que se exalte
O que você deseja agarrar
Deve primeiro deixar se elevar
Isso é chamado conhecimento sutil
O suave e fraco superando o duro e forte

Os peixes não devem deixar as águas profundas
As armas mais letais de um país nunca devem ficar expostas aos olhos de todos

– 37 –

A Tao nunca age
E ainda assim nada fica por fazer
Se os governantes se ativessem a Ela
Todas as coisas se transformariam por si sós

Quando a transformação despertar o desejo
Aquiete-o
Com a quietude que não tem nome

Aquietado por uma quietude que não tem nome
Fique livre do desejo
Livre do desejo, aquiete-se
E o Céu e a Terra se ordenarão por si sós

– 38 –

A virtude superior não exibe virtude
E tem virtude
A virtude inferior exibe virtude
E não tem virtude

A virtude superior não age
E não tem intenção
A bondade superior age
Mas não tem intenção
A retidão superior age
Com intenção
O decoro superior age
Mas se ninguém responder
Ele se apodera do poder e obriga

Quando a Tao está perdida, a virtude surge
Quando a virtude é perdida, a bondade surge
Quando a bondade é perdida, a justiça surge
Quando a justiça é perdida, a retidão surge
A Retidão marca a diminuição da lealdade e da honra
E pressagia o início da confusão
A adivinhação é para a Tao um adorno
E pressagia o início da ignorância

Assim, os grandes escolhem o caroço em vez da casca
Eles se demoram na fruta e não na flor
Eles escolhem a primeira e não a segunda

– 39 –

Para aqueles que se tornaram unos no passado
O Céu se tornou uno e era puro
A Terra se tornou una e era firme
O vigor se tornou uno e era vivaz
Os vales se tornaram unos e eram exuberantes
Os governantes se tornaram unos e a
estabilidade prevaleceu no mundo

Concluímos e tememos que
O Céu vai se despedaçar se for sempre puro
A Terra vai tremer se for sempre firme
O vigor vai cessar se for sempre vivaz
Os vales vão exaurir se forem sempre luxuriantes
Os governantes serão destituídos se
forem sempre nobres e elevados

Pois o que é nobre tem suas raízes na humildade
E o que é exaltado se inicia nos humildes
Por isso os governantes se autodenominam
órfãos, viúvos e indignos
Isso considera a humildade como raiz? Não considera?
Por isso contar com as honras não é honra
Não se quer brilhar como o jade
Mas golpear como a pedra

– 40 –

A Tao retorna à fonte
O caminho da Tao é ceder
As coisas do mundo vêm do que existe
Aquilo que existe vem daquilo que não existe

– 41 –

Quando pessoas superiores ouvem sobre a Tao
Elas se comprometem com devoção
Quando pessoas comuns ouvem sobre a Tao
Elas acreditam e desacreditam de um instante para outro
Quando pessoas inferiores ouvem sobre a Tao
Elas riem alto
Se elas não rissem
Ela não seria a Tao

Disso surgiu uma coleção de dizeres
O caminho mais claro parece escuro
O caminho para a frente parece para trás
O caminho suave parece irregular
A maior virtude parece vazia
O branco mais puro parece manchado
A maior virtude parece estar faltando
A virtude estabelecida parece frágil
A verdade mais verdadeira é inconstante

O maior dos quadrados não tem quinas
O maior dos vasos leva tempo para ser criado
O mais grandioso dos sons é o silêncio
A maior das formas não tem forma

A Tao está oculta e não tem nome
A Tao sozinha
Sabe quando começar e quando aperfeiçoar

– 42 –

O Tao dá à luz um
Um dá à luz dois
Dois dá à luz três
Três dá à luz dez mil coisas

Dez mil coisas carregam yin nas costas
E yang nos braços
Com o ch'i na respiração
Resulta a harmonia

O que as pessoas detestam
Estar sozinhas, ser rejeitadas e ter fome
São os títulos que a realeza toma para si
Pois alguns ganham no sofrimento
E alguns sofrem ao ganhar

O que os outros ensinam
Também ensino
Os violentos e os ousados não morrem de morte natural
Esse ensinamento é meu ponto de partida

– 43 –

A coisa mais maleável do mundo
Supera a coisa mais rígida do mundo
O que não tem existência entra onde não há espaço
É assim que sabemos que ganhamos ao não agir
Um ensinamento sem palavras
Um progresso sem esforço

Poucos no mundo percebem isso

– 44 –

A fama ou seu corpo
O que vale mais?
Seu corpo ou riquezas
O que é mais precioso?
Ganho ou perda
Qual é pior?
Quanto mais se preza
Menos se aproveita
Quanto mais se acumula
Maior é a perda

Se conhece o contentamento
Você não passa vergonha
Se sabe quando parar
Você está livre de problemas
E pode viver muito tempo

– 45 –

O mais perfeito parece imperfeito
E nunca se completa
O mais cheio parece vazio
E nunca seca
O mais correto parece torto
O mais habilidoso, desajeitado
O mais abundante, carente

Enquanto o movimento subjuga o frio
E a quietude suaviza o calor
Aqueles que percebem a clareza são tranquilos
E capazes de ordenar o mundo

– 46 –

Quando a Tao prevalece no mundo
Os cavalos de corrida voltam para fertilizar os campos
Quando a Tao falha no mundo
Cavalos de guerra são criados nas fronteiras

Nenhuma maldição é maior que ter o que você deseja
Nenhum infortúnio é maior que o descontentamento
Nenhuma tristeza é maior que querer cada vez mais
Por isso saber quando já é o suficiente
É contentamento duradouro, de fato

– 47 –

Não há necessidade de sair pela porta
Para conhecer o mundo inteiro
Não há necessidade de olhar pela janela
Para conhecer a Tao do Céu
Quanto mais longe você vai
Tanto menos você conhece
Por isso os sábios sabem sem ir
Nomeiam sem olhar
E realizam sem fazer

– 48 –

Buscar conhecimento é ganhar todo dia
Ouvir a Tao é perder dia após dia
Perder e perder
Até estar vazio de fazer

Wei wu wei significa nada não feito
Controlar o mundo é estar vazio do fazer
Aqueles que estão ocupados fazendo
Não podem controlar o mundo

– 49 –

Os sábios não têm mente definida
A mente deles se liga à mente das outras pessoas
Para os bons eles são bons
Para os maus eles são bons
Até que sejam bons
Com os sinceros eles são sinceros
Com os mentirosos eles são sinceros
Até que sejam sinceros
Os sábios vivem no mundo e se unem a ele
Sua mente funciona em harmonia com o mundo
Os olhos e os ouvidos das pessoas se voltam para eles
Para que os sábios as tratem com inocência

Mente ou *coração*, escrita moderna

– 50 –

Existir é viver
Regressar é morrer
Treze companheiros seguem a vida
Treze companheiros seguem a morte
Ainda assim, as pessoas que vivem para viver
Avançam na direção dos treze que seguem para o reino da morte
Ora, por que isso acontece?
Porque eles vivem para viver

Dizem que os hábeis na proteção da vida
Entram numa batalha sem armadura
E caminham pelas colinas sem temer rinocerontes e tigres
Rinocerontes não encontram lugar onde afundar seus chifres
Nem os tigres, para rasgar com suas garras
Nem os soldados, para cravar suas lâminas
Ora, por que isso acontece?
Porque eles não dão espaço para a morte

– 51 –

A Tao dá vida
E a virtude nutre
A matéria molda
E a função aperfeiçoa
Por isso todas as coisas honram a Tao
E valorizam a virtude
Honrar a Tao e estimar a virtude
Não são decretos
Mas surgem espontaneamente
Pois a Tao dá vida e nutre
Cria e nutre
Completa e amadurece
Sustenta e protege

Mas ao dar vida
Ela não possui
Ela age sem reivindicar
Eleva sem controlar
Isso é chamado de virtude obscura

– 52 –

O mundo tem um começo
Chamado de mãe do mundo
Residir na Mãe
É entender Seus filhos
Se você entende os filhos Dela
E defende a Mãe
Vive sem perigo

Feche a boca
Bloqueie os sentidos
E viva sem problemas até o fim dos seus dias
Abra a boca
Interfira
E viva sem esperança até o fim dos seus dias

Ver o pequeno é ser iluminado
Proteger o fraco é ser forte
Seguir a Luz é retornar à Luz
E viver sem perigo

Isso se chama praticar o eterno

Ser iluminado, iluminação, escrita em bronze

Ser iluminado, iluminação, escrita moderna

– 53 –

Se eu tivesse algum entendimento
Seguiria a grande Tao
E só temeria que pudesse me perder

A Grande Tao é muito suave
Mas as pessoas gostam de diversão
E de grandes palácios
Enquanto os campos estão cheios de ervas daninhas
E os celeiros vazios
Elas usam roupas com brilhos
Carregam armas afiadas na cintura
Se empanturram de comida e bebida
E possuem excesso de riqueza e tesouros

Isso é chamado de extorsão
Extorsão não é Tao!

— 54 —

O que está bem enraizado não pode ser desarraigado
O que é bem cuidado não vai escapulir
Seus descendentes honrarão isso para sempre

Quando você cultiva a virtude em si mesmo
A virtude se aprofunda
Quando você cultiva a virtude em sua família
A virtude transborda
Quando você cultiva a virtude em sua aldeia
A virtude perdura
Quando você cultiva a virtude em seu país
A virtude existe em abundância
Quando você cultiva a virtude em seu mundo
A virtude está em toda parte

Através de si mesmo, observe os outros
Através da família, observe as famílias
Através da aldeia, observe as aldeias
Através do país, observe os países
Através do mundo, observe mundos

Como posso saber como é o mundo?
Através disso

– 55 –

Aquele que é rico em virtudes
É como uma criança recém-nascida
Vespas e escorpiões não a ferroam
Bestas selvagens não a ferem
Aves de rapina não a atacam
Seus ossos são maleáveis, e seus músculos, macios
No entanto, seu aperto é forte
Ele não conhece a união entre mulher e homem
No entanto, seu pênis é rígido
Porque sua força vital é perfeita!
Ela chora o dia todo
Mas sem ficar rouca
Porque é perfeito seu equilíbrio!

Conhecer a harmonia é estar de acordo com o eterno
Conhecer o eterno é ser luminoso
Forçar a vida é de mau agouro
Dominar o ch'i é um presságio de força
Pois coisas depois do clímax logo se exaurem

Isso não é Tao
O que não é Tao logo acaba

– 56 –

Aquele que sabe não fala
Aquele que fala não sabe

Cale sua boca
Feche seus portões
Atenue seus limites
Afrouxe suas amarras
Amenize sua luz
Funda-se com a normalidade

O que é chamado de escuridão brilhante é
Impossível abordar
Impossível evitar
Impossível ajudar
Impossível prejudicar
Impossível honrar
Impossível desonrar
A coisa mais preciosa do mundo

– 57 –

Com equanimidade governe um país
Com surpresa, trave uma guerra
Sem interferir, domine o mundo

Como sabemos disso?
Quanto mais medo e proibições no mundo
Tanto mais pobre o povo é
Quanto mais exatas forem as armas do povo
Tanto mais confuso o país é
Quanto mais astuto seu estilo
Mais odiosos são os acontecimentos
Quanto mais preciosos os tesouros
Mais numerosos os ladrões

Por isso os sábios dizem
Não faça nada
E as pessoas se transformam por si sós
Dê as boas-vindas à quietude
E as pessoas corrigem a si mesmas
Não interfira
E as pessoas se enriquecem
Não deseje nada
E as pessoas se tornam simples

– 58 –

Quando o governo não interfere
As pessoas vivem de coração aberto
Quando o governo oprime
As pessoas vivem desesperadas

A miséria está enraizada na felicidade
A felicidade se esconde na miséria
Não há fim para isso
Nada é corrigido
Os corretos tornam-se astutos
Os bons tornam-se ruins
As pessoas se extraviaram
Por muito tempo

Por isso os sábios
São afiados, mas não cortam
São contundentes, mas não perfuram
São sinceros, mas não pressionam
São brilhantes, mas não ofuscam

– 59 –

Para governar as pessoas e servir ao Céu
Nada supera a moderação

Ser moderado é se preparar cedo
Preparar-se cedo é acumular virtudes
Acumular virtudes significa nada que não esteja dominado
Nada que não esteja dominado significa não conhecer limites
Não conhecer limites significa defender o país
Defender a mãe do país significa ter vida longa

Isso é chamado de raízes profundas e um tronco sólido
A Tao da vida longa e visão duradoura

– 60 –

Governe um grande país
Como se fritasse um peixe pequeno

Confronte o mundo com a Tao
E os espíritos não têm poder
Não que os espíritos não tenham poder
Mas seu poder deixa de fazer mal às pessoas
Não que eles percam o poder de fazer mal
Mas os sábios não vão lhes fazer mal
Já que não fazem nenhum mal
A virtude unifica e flui

– 61 –

Um grande país é como um rio de pouca correnteza
E se torna a convergência do mundo
A mulher do mundo
A fêmea sempre conquista o macho através da quietude
Em silêncio
Ela age como inferior
Um grande país se rebaixa até um pequeno país
E conquista o pequeno país
Um pequeno país sendo inferior
Conquista o grande país
Alguns se rebaixam para governar
E outros são inferiores e são conquistados

O desejo de um grande país
É unificar e alimentar o povo

O desejo de um pequeno país
É unir e se alinhar com os outros
Ambos conseguem o que desejam
Quando o grande age corretamente com o inferior

– 62 –

Todas as coisas fluem para a Tao
Um tesouro para os bons
E um escudo para os maus

Palavras bonitas podem ser compradas
Atos nobres podem ser oferecidos como presentes
Mesmo que falte bondade às pessoas
Por que abandoná-las?

Portanto, ao entronizar imperadores ou nomear ministros
Quando tributos de jade são oferecidos
Precedidos por parelhas de cavalos
Melhor se sentar em silêncio e invocar a Tao
É por isso que os antigos A reverenciavam
Eles não diziam que
Quem busca receber
E quem ofende podem ser poupados?

Ela é o tesouro do mundo

Não, sem, vazio, escrita moderna

– 63 –

Aja sem agir
Trabalhe sem trabalhar
Saboreie sem saborear

Grande ou pequeno
Muito ou pouco
Retribua a injúria com a virtude
Prepare-se para o difícil enquanto é fácil
Administre o grande enquanto é pequeno
O trabalho mais difícil do mundo começa fácil
O maior feito do mundo começa pequeno
Os sábios não fazem grande
E assim realizam o grande

Promessas rápidas carecem de compromisso
O que é considerado fácil torna-se difícil

Assim, os sábios encaram todas as coisas difíceis
E acabam sem dificuldade

– 64 –

O que está em repouso é fácil de segurar
O que não começou é fácil de moldar
O que é frágil é fácil de quebrar
O que é pequeno é fácil de espalhar
Aja antes que as coisas apareçam
Governe antes que os problemas surjam
Uma árvore gigantesca cresce a partir de uma pequena semente
Uma grande torre se ergue de um monte de terra
Uma longa jornada começa sob seus pés

Aqueles que agem fracassam
Aqueles que se apegam perdem
Os sábios, portanto, não agem
E por isso não fracassam
Eles não se apegam
E por isso não perdem
Pessoas em suas ocupações
Arruínam coisas à beira do sucesso
Ter cuidado tanto no final quanto no início
Significa que nada será arruinado

Pois os sábios procuram não desejar
Nem valorizar coisas preciosas
Eles aprendem a não aprender
E voltam a atenção para o que os outros deixam de ver
Eles ajudam todas as coisas a serem naturais
E ousam não agir

– 65 –

Os antigos
Hábeis na Tao
Não tentavam esclarecer as pessoas
Mas mantê-las simples

As pessoas são difíceis de governar
Se preenchidas com muita inteligência
Aqueles que governam um país com inteligência
Vão arruiná-lo
Aqueles que governam um país sem saber
Trazem bênçãos

Aqueles que sabem o equilíbrio entre os dois
Possuem a medida-padrão
Saber essa medida-padrão
É chamado de virtude obscura
A virtude obscura vai fundo
E vai longe

Todas as coisas voltam à fonte
E segue-se grande harmonia

– 66 –

O mar rege cem rios
Como o mar está mais abaixo
O mar rege os rios

Como os sábios estão acima
Eles precisam falar como se estivessem abaixo
Como eles estão à frente
Precisam seguir mais atrás
Dessa maneira
Os sábios ficam acima
No entanto, ninguém é pressionado
Eles ficam na frente
No entanto, ninguém sofre danos

É por isso que o mundo se rejubila
E os mantém sem limites
Pois como os sábios não competem
Ninguém compete com eles

– 67 –

O mundo me chama de grandiosa
Grandiosa, mas sem valor mensurável
Como sou grandiosa, não me pareço com nada mensurável
Se eu fosse algo mensurável
Há muito tempo eu teria me tornado pequena

No entanto, tenho três tesouros
Que guardo e protejo
O primeiro é a compaixão
O segundo é a moderação
O terceiro é não ousar se destacar no mundo
Por meio da compaixão
Posso ser corajosa
Por meio da moderação
Posso ser generosa
Por não ousar me destacar
Sou capaz de aperfeiçoar meu potencial
Se eu rejeitar a compaixão em favor da bravura
Rejeitar a moderação em favor do ganho
Rejeitar a humildade em favor do status
A morte será certa

Pois a compaixão triunfa na batalha
Defende e se mantém firme
O que o Céu cria
A compaixão protege

– 68 –

Um comandante habilidoso não ostenta poder
Um guerreiro habilidoso não recorre à raiva
Um vencedor habilidoso não enfrenta antagonistas
Um líder habilidoso age como se fosse inferior às pessoas

Chame isso de virtude da não agressão
Chame isso de invocar a força dos outros
Chame essa união com o Céu
A perfeição dos antigos

– 69 –

Militares estrategistas têm um ditado
Não ouse hospedar uma guerra
Seja só um convidado
Não ouse avançar um centímetro
Só recue um pé

Isso é o que se chama
De avançar sem avançar
Agarrar sem braços
Tomar sem armas
Confrontar sem atacar

Nenhum infortúnio é maior que não honrar os antagonistas
Não honrar os antagonistas é perder a virtude
Portanto, quando os antagonistas se opõem
Vence o que luta com pesar

– 70 –

Minhas palavras são muito fáceis de entender e praticar
No entanto, ninguém as entende ou pratica
Minhas palavras têm uma fonte, e minhas ações, um mestre
Mas como ninguém entende isso
As pessoas não me compreendem

Aqueles que me entendem são poucos, e sou um tesouro
Os sábios usam roupas simples, mas escondem
dentro de si o que é mais precioso

— 71 —

Saber não saber é o melhor
Não saber não saber é uma falha
Os sábios não são falhos
Porque reconhecem uma falha como falha
Por isso são destituídos de falhas

Saber, escrita moderna

– 72 –

Quando as pessoas não temem quem está no poder
Uma força maior as assalta

Não restrinja onde as pessoas vivem
Nem sobrecarregue o modo como vivem
Se elas não estiverem sobrecarregadas
Não vão protestar

Os sábios conhecem a si mesmos
Mas não se vangloriam
Eles se prezam
Mas não se promovem
Eles deixaram de lado o último
E escolheram o primeiro

– 73 –

A coragem com temeridade corteja a morte
A coragem sem temeridade corteja a vida
Dessas duas
Uma traz ganho
E a outra, perda
O que o Céu considera de coração feio — quem sabe por quê

A Tao do Céu se destaca
Vencendo sem luta
Respondendo sem palavras
Aparecendo sem convocação
Planejando sem pressa

A teia do Céu é vasta
E suas aberturas são largas
No entanto, nada a atravessa

– 74 –

Se as pessoas não temem a morte
Ameaçá-las de morte é inútil
Mas se as pessoas ainda temem a morte
E algumas agem com perversidade
Podemos pegá-las e matá-las
Quem mais ousaria?

Enquanto as pessoas temerem a morte
Um oficial ficará a cargo das execuções
Mas assumir o papel do carrasco
É assumir o papel de cortador mestre
Aqueles que assumem o papel de cortador mestre
Raramente escapam de cortar as próprias mãos!

– 75 –

As pessoas estão morrendo de fome
Porque seus superiores engolem tudo na
forma de impostos sobre os grãos
Assim, elas morrem de fome
E não podem ser governadas
Como seus superiores são intrusivos
Elas não podem ser governadas

O povo faz pouco da morte
Porque seus superiores vivem a vida plenamente
É por isso que ele faz pouco da morte
Somente aqueles que não buscam o pós-vida
São mais dignos que aqueles que valorizam a vida

– 76 –

Ao nascer
As pessoas são maleáveis e flexíveis
Na morte
Elas são duras e rígidas
Enquanto crescem
Gramíneas e árvores são tenras e flexíveis
Quando estão mortas
Elas são rígidas e secas

Assim se diz
O duro e o rígido são companheiros da morte
O macio e o maleável são companheiros da vida
Quando o soldado é duro, ele perde
Quando a árvore é rígida, ela se quebra

O rígido e o poderoso se mantêm embaixo
O macio e o tenro se mantêm em cima

– 77 –

A Tao do Céu é como puxar a corda de um arco
A parte de cima do arco se curva para baixo
e a parte de baixo se curva para cima
O que excede é retirado e o que falta é aumentado
Pois a Tao do Céu
Retira do excedente e aumenta o que é escasso

A humanidade faz o caminho contrário
Tira do que é escasso e aumenta o que já excede
Quem pode pegar o excedente e oferecê-lo ao Céu?
Somente aqueles que possuem a Tao

Assim, os sábios agem sem se arrogar o crédito
Realizam sem exigir reconhecimento
E não querem ser vistos como sumidades

– 78 –

Nada no mundo é mais maleável ou mais fraco que a água
Ainda assim, contra o duro e o forte
Nada pode se comparar a ela ou substituí-la
O maleável supera o duro
O fraco vence o forte
Todo mundo sabe disso
No entanto, ninguém leva em consideração

Por isso os sábios dizem que
Aqueles que sofrem a desgraça de um país
São chamados os mestres da terra e dos grãos
Aqueles que sofrem a dor de um país
São chamados de governantes do mundo

Palavras verdadeiras podem parecer enigmas

– 79 –

Quando uma briga é apartada
Normalmente o ódio se mantém
Como isso pode ser bom?

Por isso os sábios assumem o lado do devedor
E não reivindicam o que lhes é devido
Os virtuosos cumprem suas obrigações
E quem não tem virtude insiste no pagamento

A Tao do Céu não tem favoritos
No entanto, sempre se une aos bons

– 80 –

Que pequeno seja o país e poucas as pessoas
Que tenham ferramentas que façam o trabalho de dez ou cem
Que nunca sejam usadas
As pessoas respeitam a morte
E não se afastam de casa
Que tenham barcos e carroças
E não haja necessidade de conduzi-los
Que possuam armaduras e armas
E não haja necessidade de exibi-las
Que voltem a dar nós nos fios
Desfrutar da sua comida
Enfeitar suas roupas
Ficar em paz em casa
E aproveitar o dia a dia

Que haja um país vizinho tão perto
Que as pessoas ouçam galos cantando e cachorros latindo lá
Mas que envelheçam e morram
Sem visitar umas às outras

– 81 –

Palavras sinceras não são doces
E palavras doces não são sinceras
Aqueles que sabem não são eruditos
E os eruditos não sabem
Os bons não brigam
E os briguentos não são bons

Os sábios não acumulam coisas
Agem em benefício dos outros
E embora tenham mais
Para ajudar os outros
Mais e mais eles têm

A Tao do Céu
É dar e não prejudicar
A Tao dos sábios
É agir e não lutar

Tao, escrita antiga

Tao, escrita moderna

NOTAS SOBRE A TRADUÇÃO E A CALIGRAFIA

À medida que traduzia os poemas, fui me apaixonando cada vez mais pelo chinês e pelo *Tao Te Ching*. Por isso fui me aprofundando nos estudos do idioma chinês, na etimologia de seus caracteres e na beleza sensual do texto. Sabia, pela minha experiência de traduzir o Novo Testamento do grego para o inglês, na preparação dos sermões, que traduzir o texto original para o inglês havia me proporcionado *insights* sobre o texto que não seriam possíveis se eu os tivesse lido na minha língua nativa. Cada poema me transformou. Agora, nos meus 70 e poucos anos de idade, a tradução do *Tao Te Ching* intensificava e expandia o *wei wu wei* dentro de mim. Tornei-me mais suave, mais gentil, mais generosa, mais tolerante e mais feminina. Aceito as pessoas e os acontecimentos como eles são e, não como quero que sejam. O que poderia ser mais simples?

Enquanto traduzia, lancei mão de ampla variedade de recursos. Especialmente importantes foram os livros sobre caligrafia chinesa, os volumes sobre a etimologia dos caracteres chineses usados no *Tao Te Ching* e uma tradução literal, caractere por caractere, do *Tao Te Ching*, de autoria de Jonathan Star, para verificar e aprofundar minha compreensão do texto chinês. Também consultei traduções modernas do *Tao Te Ching* e colegas versados em chinês para esclarecer questões mais técnicas. Esses e outros recursos estão relacionados na Bibliografia Comentada. Agradecimentos a amigos e colegas são apresentados nos Agradecimentos.

O *TAO TE CHING* COMO TEXTO ESCRITO

Uma das genialidades das antigas civilizações chinesas foi a criação do chinês escrito, composto de ideogramas ou elementos gráficos chamados caracteres, que geralmente retratam, de forma visual, a natureza da ação, do objeto ou da ideia. Embora os caracteres chineses tenham mudado ao longo dos séculos, o caractere para chuva 雨 ainda parece uma chuva caindo do céu, e o caractere para cavalo 馬 ainda parece um cavalo andando.

Por causa do caráter visual peculiar desses caracteres, mercadores e escribas espalhados por toda a vasta extensão da China antiga podiam ler os livros de contabilidade, cartas e manuscritos uns dos outros, mesmo quando falavam línguas diferentes. Ironicamente, se estivessem na mesma sala, não conseguiriam se entender se falassem uns com os outros, mas eram capazes de escrever um para o outro. A forma gráfica visual da língua chinesa escrita, portanto, permitiu o comércio e a troca de ideias mesmo entre pessoas de áreas geográficas muito distantes. Como não falo chinês, mas consigo ler textos nessa língua, enquanto traduzia o *Tao Te Ching* me senti, muitas vezes, como uma escriba vivendo numa província distante do sul do Oregon.

CARACTERÍSTICAS DO *TAO TE CHING*

A seguir, relacionei as características do chinês do *Tao Te Ching* para ajudar os leitores a compreender as escolhas e os desafios impostos aos tradutores contemporâneos e por que as traduções variam tanto:

1. O texto do *Tao Te Ching* praticamente não tem pontuação, exceto por alguns caracteres chineses que indicam perguntas ou exclamações. Portanto, minimizei a pontuação em todos os meus poemas traduzidos, exceto quando se tratava de pontos de interrogação e exclamação.

2. Os pronomes de terceira pessoa não têm gênero no texto chinês do *Tao Te Ching*. O tradutor decide, com base no contexto, se usa ele, ela, isso, seu, dela ou dele.

3. O chinês não usa letras maiúsculas em nomes próprios. No entanto, segui a prática-padrão das traduções para o inglês de usar letras maiúsculas em palavras como "Céu", "Tao", e assim por diante.

4. Os caracteres chineses que se referem a substantivos não indicam singular ou plural. O tradutor usa o contexto para decidir se deve traduzir o caractere como singular ou plural.

5. Os caracteres chineses que se referem a verbos nem sempre indicam o tempo verbal. Normalmente, o tradutor se baseia no contexto para decidir o tempo verbal.

6. Como é comum no inglês, o mesmo caractere chinês pode servir como substantivo ou verbo. O tradutor se baseia no contexto e na sintaxe para decidir se a palavra é um substantivo ou um verbo. Isso significa que há muita variabilidade — todas as traduções estão tecnicamente corretas.

7. O fim de uma sentença, frase ou poema é geralmente indicado pelo conteúdo e pela sintaxe. Segui o formato-padrão das traduções inglesas do *Tao Te Ching*, embora, às vezes, tenha dividido o poema em mais versos, para torná-lo mais fácil de ler e entender.

A CALIGRAFIA CHINESA NESTA TRADUÇÃO

Surpreendendo a mim mesma, decidi apresentar a caligrafia manual dos principais caracteres chineses incluídos nesta tradução do *Tao Te Ching* como exemplos para os leitores. Já que os chineses entendem que a consciência do calígrafo se estende diretamente do seu íntimo para a ponta do pincel no papel, o que está escrito é uma extensão da consciência do calígrafo. Embora esteja preocupada com a possibilidade de revelar aos leitores qualquer que seja minha consciência ao publicar minha própria caligrafia desses caracteres chineses, senti que incluir exemplos de vários calígrafos sinalizaria diferentes mensagens espirituais, que poderiam divergir do significado dos poemas em si.

Por isso, acabei decidindo apresentar minha própria caligrafia no fim do processo de tradução. Eu já havia completado todas as traduções e estava esperando uma resposta dos editores sobre minha proposta de livro. Então, um dia, sentei-me e comecei a praticar — e acabei praticando por meses. Eu melhorava e me sentia cada vez mais animada à medida que avançava. Portanto, doze caracteres chineses que eu mesma escrevi à mão estão incluídos ao lado dos poemas relevantes.

NOTAS SOBRE OS POEMAS

A seguir, apresento notas curtas sobre cada um dos 81 poemas. Reduzi as notas que acompanham os poemas ao menor número possível, na esperança de que os leitores sintam os poemas em sua beleza simples e mística, sem interpretações excessivas minhas. Comentários pessoais são raros. A maioria das minhas notas retransmitem informações históricas e culturais sobre frases-chave, informações sobre a etimologia dos principais caracteres chineses que incluí na minha tradução ou detalhes sobre possíveis variantes. Espero que as informações históricas, culturais e etimológicas acrescentem nuances ou camadas de significado aos poemas que possam não ficar tão claros aos leitores.

POEMA 1

No verso 5, o caractere chinês 始 *shih* significa "virgem", "mulheres grávidas" ou "origem" e refere-se à natureza sem nome ou misteriosa da 道 *Tao*, com o significado de "caminho" ou "via" que surge sem esforço. O caractere chinês 始 *shih* também descreve a Tao no Poema 14.

Por outro lado, o verso 6, "A que tem nome é a mãe de todas as coisas", refere-se diretamente à natureza manifesta da Tao no mundo. O caractere 母 *mu*, que significa "mãe", também descreve a Tao nos Poemas 20, 25, 52 e 59.

No verso 9, "As duas" refere-se à "que não tem nome" e à "que tem nome", dos versos 5 e 6.

POEMA 2

Apegar-se ao sucesso ou às posses é como querer agarrar a água entre os dedos. Não importa a força com que você tente agarrá-la, a água acabará escorrendo entre os dedos. Nesse sentido, a maior garantia de sucesso ou riqueza não é esperar ou reivindicar coisa alguma. O que vem para nós vem naturalmente.

O verso 13 contém uma expressão comum no *Tao Te Ching*, 無為 *wei wu*, que significa agir "sem agir" ou simplesmente não ação. Ela também está presente no Poema 43. Uma expressão semelhante, 為無為 *wei wu wei*, que significa "agir sem agir", está presente nos Poemas 3, 48 e 63.

POEMA 3

No verso 8, o caractere chinês 心 *hsin* significa "coração" ou "mente", porque os chineses dos tempos antigos consideravam o coração humano a fonte tanto da atividade mental quanto das emoções.

POEMA 4

"Tão tranquila", no verso 10 do Poema 4, é uma referência à quietude e à escuridão das águas profundas.

POEMA 5

No verso 6, o Poema 5 compara a Tao a um fole que nunca se esgota, numa referência ao Poema 4, que compara a Tao a um abismo que nunca se esgota.

Ainda assim, o verso 9, referindo-se aos seres humanos, diz que muita conversa cansa. Além disso, o verso que conclui o Poema 5 aconselha a nos mantermos no centro, referindo-se ao *ch'i*, o sopro da vida, que reside no plexo solar. Veja a nota sobre o *ch'i* que acompanha o Poema 10.

Nos versos 2 e 4 do Poema 5, traduzi os caracteres chineses que significam literalmente "cães de palha" como "neutros com respeito a". Na China antiga, os cães de palha eram oferendas cerimoniais feitas de palha e barro, ofertadas e posteriormente descartadas ou queimadas, quando não eram mais úteis.

POEMA 6

No verso 1, a fonte de criação é um "vazio imortal", que é comparado a um útero, no verso 2. Através desse portal escuro e misterioso, a criação avança infinita e incansavelmente, como um fio de seda produzido num casulo sem fim.

Os caracteres chineses 玄 *hsüan*, que significa "escuro" ou "misterioso" e 牝 *p'in*, que significa "útero", "feminino" ou "égua", são repetidos duas vezes no verso 2. Em inscrições em ossos oraculares, o caractere chinês 玄 *hsüan* se assemelha a fios; portanto, esses fios entrelaçados remetem ao que é obscuro, misterioso ou escuro. O caractere 玄 *hsüan* também descreve a natureza da Tao nos Poemas 1, 10, 15, 51, 56 e 65. Além disso, informações sobre a etimologia desse caractere podem ser encontradas em https://www.bulgari-istoria-2010.com/Rechnici/Etymological_Dictionary_of_Han_Chinese_Characters.pdf.

POEMA 7

Os caracteres chineses 長 *ch'ang*, que significa "eterno", e 久 *chiu*, que significa "perpétuo", aparecem nos versos 1 e 2 e são repetidos no verso 3. Não está claro para mim se está se fazendo uma distinção, ao contrastar esses dois caracteres, ou se esses dois caracteres diferentes, com pequenas diferenças de significado, estão dando ênfase ao mesmo conceito. Tendo a dar preferência à segunda interpretação. Como as letras de música, as tradições orais favorecem a repetição e pequenas variações nos significados, para dar ênfase a uma ideia.

Nos versos 8 e 9, os sábios são abnegados, mas não no sentido de se esquecem de si mesmos, mas no sentido de não reivindicarem crédito ou recompensa pelo que fazem.

POEMA 8

O caractere chinês 水 significa "água". Assim como a água, a Tao flui sem esforço para locais que estão mais abaixo e são mais difícil de alcançar. O fluxo dessa maneira simples e natural resulta num bem maior.

Do ponto de vista estrutural, o Poema 8 ilustra uma forma comum a todos os poemas, que marquei dividindo o poema em três seções. Ou seja, a primeira e a última seções contêm um pensamento. A seção do meio fornece exemplos para a primeira seção, e a última seção completa ou resume o poema.

POEMA 9

A Tao pode ser comparada à bela arte de ser mãe. Por exemplo, ao orientar os filhos, normalmente é melhor falar pouco.

A Tao se retira quando um trabalho ou tarefa é concluído. Aplicado às ações cotidianas, aceitar todos os convites, aproveitar cada possibilidade ou insistir no sucesso é um convite ao infortúnio.

POEMA 10

No verso 2, o caractere chinês 氣 *ch'i* se refere à força vital do corpo associado ao sopro da vida, ao plexo solar e à energia que flui através do corpo desde o nascimento até a morte. O caractere chinês 氣 não pode ser totalmente traduzido para o inglês.

O "espelho negro" do verso 3 pode se referir aos espelhos de bronze da China antiga. Quando a luz era projetada na superfície polida de um espelho de bronze, as imagens entalhadas no lado de trás eram espelhadas em superfícies próximas.

O Poema 10 nos pede para unificar os opostos. No último verso, o caractere chinês 玄 *hsüan* significa "escuro" ou "misterioso", e o caractere 德 *te* significa "virtude". Justapostos, eu os traduzi como "virtude obscura", ou seja, virtude oculta ou misteriosa inerente à natureza de espelhamento que a Tao tem no mundo. Esses dois caracteres também aparecem juntos nos Poemas 51 e 65.

POEMA 11

O Poema 11 expressa as formas práticas pelas quais tudo o que existe flui sem esforço do "vazio imortal" do Poema 6. Tudo que vem do espaço vazio no centro. O caractere chinês 無 *wu*, que significa "sem", "não" e, por fim, o conceito budista de vazio, é usado quatro vezes no Poema 11.

Nas notas que acompanham o Poema 11, o tradutor Red Pine comenta que os antigos chineses que moravam perto do rio Amarelo, no centro da China, construíam casas nas encostas com um sedimento chamado *loess* e abriam portas e janelas nas paredes exteriores. O *Tao Te Ching* foi composto perto da bacia do rio Amarelo e transcrito há pelo menos 2.500 anos.

POEMA 12

Com base na classificação chinesa dos cinco elementos (Água, Fogo, Madeira, Metal e Terra), as cores, as notas musicais e os sabores são classificados em cinco partes, de forma semelhante.

O verso 4 refere-se à prática real de corridas de cavalos e de caçar, nos tempos antigos. Nesse verso, adaptei a frase aos nossos tempos.

POEMA 13

Nos versos 2, 8, 10, 11, 14 e 15, o caractere chinês 身 *shên* significa "corpo" ou "pessoa".

POEMA 14

No verso 16, o caractere chinês 始 *shih* significa "virgem" ou "origem". O mesmo caractere é usado no Poema 1 para descrever a origem transcendente e sem nome de todas as coisas.

No último verso, o caractere chinês 紀 *ch'i* significa "fio" e refere-se à linhagem sagrada ou à tradição da Tao.

POEMA 15

O Poema 15 descreve a natureza insondável dos grandes mestres taoistas que aperfeiçoaram sua obscuridade. Eles não podem ser conhecidos pelo exterior, exceto por alguns.

O tema da estrofe final é semelhante ao do Poema 9, sobre evitar "encher até a borda". Por nunca transbordar, os grandes mestres estão sempre repletos da fonte.

Veja o Poema 28 para compreender o significado de "madeira não esculpida" no verso 13.

POEMA 16

Para notas sobre o caractere traduzido como "iluminação", no verso 10, consulte as notas do Poema 52.

Nos versos 12 e 13, traduzi o caractere chinês 容 *jung* como "abarcar tudo". O caractere é composto por dois caracteres simplificados conhecidos como radicais, que significam telhado (宀) cobrindo um vale (谷). Esse caractere remete à capacidade dos sábios de abarcar tudo o que ocorre ou pode ocorrer num estado iluminado de consciência.

No verso 17, "viver muito" pode ser entendido como viver uma vida longa, desfrutar da imortalidade da Tao ou da imortalidade pessoal — ou de todos os três.

POEMA 17

A tradição oral na China atesta a sabedoria de governantes talvez lendários, considerados excelentes porque não se intrometiam na vida das pessoas comuns. Eles se mantinham fora de vista e da mente. As pessoas cuidavam de seus negócios sem precisar ficar atentas ao governo, e as tarefas realizadas ao longo do tempo eram pensadas de modo natural e espontâneo, não impostas.

POEMA 18

Tanto os relatos taoistas quanto os confucionistas atestam um encontro entre Lao-tsé, como um homem idoso, e Confúcio, que tinha cerca de metade da idade de Lao-tsé. Nesse encontro, Lao-tsé desafia Confúcio, afirmando que seus ensinamentos sobre moralidade não tinham nenhuma utilidade. Ou seja, quando a Tao floresce, a bondade surge naturalmente, sem a necessidade de códigos ou regras morais.

No verso 5, "as seis relações" se referem às relações chinesas tradicionais entre pai e filho, irmão mais velho e irmão mais novo e marido e mulher.

POEMA 19

Os Poemas 17, 18 e 19 podem ser considerados uma unidade e lidos em sequência. O caractere chinês 素 *su*, no verso 9, significa "seda não tingida", que é branca, imaculada e tem brilho acetinado. De modo semelhante, o caractere chinês 樸 *p'u* significa "madeira não entalhada" e é uma metáfora para o que é simples, humilde e natural. O caractere 樸 *p'u* também está presente nos Poemas 15, 28, 32, 37 e 57. Ambos os caracteres se referem à nossa natureza original ou verdadeira. Curiosamente, o caractere 素 *su* é meu nome pessoal chinês.

POEMA 20

A voz autorreferencial do Poema 20 é incomum no *Tao Te Ching*. Lao-tsé estaria falando conosco diretamente ao longo dos séculos? O tom do poema é o de discurso retórico. No verso 10, o Grande Sacrifício é um festival de primavera em que as pessoas escalavam torres para apreciar a vista das árvores em pleno florescer.

No verso 31, "aprecio o leite da Mãe" é receber a substância diretamente da Tao, a Mãe.

POEMA 21

Os textos Mawangtui usam o caractere 父 *fu*, com o significado de "pai" ou "origem", em contraste com o texto recebido, que usa o caractere chinês 甫 *fu*, com o significado de "origem" ou "começo", nos versos 15 e 16. Os dois caracteres podem ter sido usados indistintamente nos tempos antigos. Usei a palavra "origem" para ser coerente com o pronome feminino utilizado em referência à Tao, pelo qual optei nesta tradução.

POEMA 22

"O Uno" do verso 7 se refere à Tao.

A semelhança entre o Poema 22 e as Bem-aventuranças de Jesus (Mateus 5: 2-12; Lucas 6: 20b-23) é estranha.

POEMA 23

Nos versos 10-12, o texto brinca com a semelhança no som e o duplo significado do caractere chinês 德 *tê*, significando "virtude", e do caractere 得 *tê*, que significa "ganho".

POEMA 24

"Ficar na ponta dos pés", no verso 1, pode ser uma metáfora para tentar tornar-se superior ao que se é. Se for assim, o verso se encaixa bem com os próximos cinco versos, que detalham as armadilhas de se vangloriar.

POEMA 25

A atividade da Tao nos versos 10, 11 e 12 é descrita como "seguir em frente", "ir longe" e "voltar". Essas três metáforas sugerem que a Tao se move em direção à criação, por meio da criação e além, retornando para si mesma. O último verso, "A Tao imita a si mesma", repete esse tema.

POEMA 26

O Poema 26 diz respeito a colocar a autoridade no lugar a que ela pertence. Ou seja, a equanimidade assegura a despreocupação, e a quietude comanda a agitação.

Quando fui pela primeira vez à China, em 1978, percebi que os chineses caminhavam de um jeito diferente dos ocidentais, como se seus pés estivessem ancorados à terra. Alguns mestres espirituais da China e do Tibete pareciam andar como se tivessem pesos nos pés. Claro que o que eu estava sentindo era energético, e não físico, no sentido comum. Essas observações me ajudaram a entender o significado das metáforas do Poema 26. Em particular, o último verso significa que os governantes e mestres espirituais "perdem a soberania" ou o peso no mundo quando ficam sem chão ou inquietos.

POEMA 27

No Poema 27, o caractere chinês 善 *shan* é frequentemente traduzido como "bom", e os caracteres 不善 *pu shan* significam "não bom" ou "ruim". No entanto, a repetição da palavra "bom" e do antônimo "ruim" dá ao poema tom de julgamento ou moralismo. Por isso, optei por traduzir esses caracteres como "hábil" e "inábil".

POEMA 28

Nos versos 13 e 22, o caractere chinês 樸 *p'u*, que significa "madeira não entalhada", é uma metáfora para o que é humilde e está em estado natural. Quando a madeira não entalhada é cortada e modelada em ferramentas, perde a natureza original ou verdadeira. O caractere 樸 *p'u* também está presente nos poemas 15, 19, 32, 37 e 57.

POEMA 29

No verso 10, "respirar" significa respiração suave, como um suspiro. No verso 11, "ofegar" significa respiração pesada ou fria.

POEMA 30

O Poema 30 é uma declaração enfática dirigida aos governantes. Em harmonia com a Tao, os governantes são aconselhados a não usar armas e a ter sucesso sem violência. Tema semelhante é expresso no Poema 31.

Esse poema aparece como uma série de aforismos num tema semelhante.

POEMA 31

Nos versos 15 e 16, o posicionamento dos comandantes quando em combate é descrito como se estivessem "conduzindo um funeral". No verso 15, ficar à esquerda é representar os fracos. No verso 16, ficar à direita é representar os fortes. Ao desempenhar esses papéis simbólicos, eles "observam a vitória com pesar".

POEMA 32

No verso 2, o caractere chinês 樸 *p'u*, que significa "madeira não entalhada", é uma metáfora para o que é "simples" e em estado natural.

POEMA 33

O que traduzi como "ter vida longa" no último verso do Poema 33 é o caractere chinês tradicional 壽 *shou*, que significa "longevidade".

O último verso também levanta uma questão prática e esotérica.

Uma vez que as práticas de longevidade e imortalidade são encontradas no mundo todo, nas culturas tradicionais, especialmente na China, que valor elas têm para nós?

POEMA 34

Escavando desfiladeiros e planícies inundadas como um rio no caminho para o mar, a Tao encontra o próprio curso. Nada A detém e Ela não faz reivindicações. Do mesmo modo, os sábios não buscam grandeza e, ainda assim, realizam grandes coisas.

POEMA 35

No verso 1, o caractere chinês 象 *hsiang* significa "imagem" e refere-se à maneira pela qual a Tao serve como espelho para refletir a imagem Dela no mundo.

O último verso do poema é semelhante ao último do Poema 6.

POEMA 36

O Poema 36 provavelmente foi concebido para servir de instrução a governantes que desejavam expandir a influência do seu país a países vizinhos. Hoje, o poema, talvez, se aplica também a aquisições de empresas. Esse poema pode ser relevante, ainda, para indivíduos que queiram exercer mais influência sobre os outros, aconselhando-os a esperar em silêncio que os outros se esforcem demais e com o tempo se esgotem. Embora possa parecer sinistro, é também o caminho natural da Tao para que os grandes se enfraqueçam ou tenham menos poder e os fracos se fortalecem e tenham mais poder.

POEMA 37

A Tao é imortal e está sempre presente. Ações e eventos que se alinham com Ela se estabelecem natural e espontaneamente no lugar, como a água encontrando seu caminho para o mar.

POEMA 38

Nos versos 11, 17 e 18, o caractere chinês 禮 *li* significa "decoro" ou regras de conduta sobre o que é adequado. No contexto do poema, o caractere provavelmente se refere às regras de decoro do confucionismo.

POEMA 39

Nos versos 8-12, os caracteres chineses que significam "tememos" estão presentes em cada verso. Em vez disso, adicionei-o ao verso 7, que se refere às cinco sentenças que se seguem.

POEMA 40

No verso 2, traduzi o caractere chinês 弱 *jo* como "ceder". Etimologicamente, ele é composto por dois caracteres simplificados que representam duas asas de pássaro quebradas. As finas pinceladas esqueléticas são "quebradas" na parte superior, significando o rompimento e a maleabilidade que resultam do ato de ceder ao mundo como ele é. Informações etimológicas adicionais sobre esse caractere podem ser encontradas em *Chinese Characters: Their Origin, Etymology, History, Classification and Signification*, de L. Wieger (p. 162).

POEMA 41

No verso 19, a palavra "vasos" pode se referir à confecção de finos vasos de bronze frequentemente usados em rituais, na China antiga.

No verso 22, a Tao está "oculta" e "não tem nome".

POEMA 42

No verso 5, o caractere 陰 *yin* se refere ao princípio feminino chinês que representa a receptividade e a luminosidade da lua. O caractere 陽 *yang*, no verso 6, refere-se ao princípio masculino chinês que representa o que é ativo e solar. Yin e yang são princípios complementares. Como são termos bem conhecidos, eu os deixei sem tradução.

No verso 7, o caractere 氣 *ch'i* é usado; ele aparece três vezes no *Tao Te Ching* — nos poemas 10, 42 e 55. Veja minhas notas que acompanham o Poema 10 para ver seu significado.

POEMA 43

No verso 1, a "coisa mais maleável" provavelmente se refere à água, e a "coisa mais rígida", no verso 2, à rocha. Ver Poemas 39 e 78.

POEMA 44

Não há caracteres chineses nos versos 2, 4 e 6 indicando que esses versos sejam perguntas. No entanto, muitos tradutores acrescentam pontos de interrogação por causa do contexto, e fiz o mesmo.

POEMA 45

Após o verso 7, mais um verso é adicionado em alguns textos antigos: "A gagueira mais eloquente".

No verso 10, o caractere chinês 清 *ch'ing* é composto por dois caracteres que significam "água" e "a tonalidade das plantas verdes". Juntos, eles significam "a clareza das plantas verdes", considerado um estado ideal de ser.

POEMA 46

Para aqueles que vivem na Tao, "ter o que você deseja" no verso 5 e "querer cada vez mais" no verso 7 são atitudes igualmente problemáticas e radicais, que sinalizam desconforto e infortúnio. Em contrapartida, nos versos 8 e 9, o contentamento é encontrado em "saber quando já é o suficiente". Nada mais é desejado.

POEMA 47

O Poema 47 não deve ser interpretado literalmente como uma imposição contra viajar ou sair de casa. Em vez disso, insiste que conhecer a Tao é um gesto interior que não pode ser encontrado em nada exterior e por si só.

POEMA 48

No verso 5, a frase em chinês 為無為 *wei wu wei* tornou-se tão conhecida em inglês que a deixei sem tradução. Uma tradução simples seria "fazer sem fazer" ou "agir sem agir".

Etimologicamente, o caractere chinês 取 *ch'ü*, nos versos 6 e 8, é composto por dois caracteres simplificados. Da direita para a esquerda, o primeiro significa "mão", e o segundo, "ouvido". Juntos, eles se referem a uma mão que segura uma orelha, significando "tomar" ou "controlar".

POEMA 49

Os versos 1, 2 e 12 apresentam o caractere chinês 心 *hsin*, que significa literalmente "coração". Nesse contexto, significa "mente', porque, para o chinês da época de Lao-tsé, o coração era o centro do pensamento.

POEMA 50

Nos versos 3, 4 e 5, o significado de "treze companheiros" é obscuro, e muitas interpretações foram oferecidas ao longo do tempo. Defendo a ideia de que os treze representam nossos braços e pernas, mais os nove orifícios (duas orelhas, dois olhos, duas narinas, uma boca, um ânus e uma vagina ou uretra). Esses treze companheiros nos seguem na vida e na morte.

POEMA 51

Veja as notas do Poema 10 para saber o significado dos caracteres chineses traduzidos como "virtude obscura" no último verso.

POEMA 52

Nos versos 14 e 16, traduzi o caractere chinês 明 *ming* como "iluminado" e "a Luz", respectivamente. O caractere é composto por dois caracteres simplificados que representam o sol 日 e a lua 月, um refletindo a luz do outro. Quando usado como substantivo em outros poemas, esse caractere também pode ser traduzido como "brilho" ou "iluminação".

No verso 16, o caractere chinês 光 *kuang* se refere a "raio" ou "feixe de luz" irradiando de 明, "a Luz da Tao".

POEMA 53

Nos últimos dois versos, o caractere chinês 盜 *tao* significa "roubo" ou "extorsão". Pronuncia-se "tao" e provavelmente é usado como jogo de palavras fonéticas com a Tao.

POEMA 54

O cultivo da virtude começa com o cultivo da virtude em si mesmo e se expande para fora. Da mesma forma, o conhecimento começa com o autoconhecimento e se expande para o mundo.

POEMA 55

No verso 18, *coisas depois do clímax logo se exaurem* pode se referir ao ou até ser um trocadilho referindo-se a "seu pênis é rígido", do verso 9.

POEMA 56

No verso 9, o caractere chinês 玄 *hsüan* significa "escuro" ou "misterioso", e o caractere 同 *t'ung* significa "aquilo que cobre um vazio" ou "unifica". Justapostos, eu os traduzi por "escuridão brilhante". A escuridão brilhante sinaliza um estado místico, uma escuridão tão profunda e misteriosa que brilha e unifica o buscador com a Tao.

Como "a escuridão além da escuridão", do Poema 1, a escuridão brilhante não é escura no sentido comum, mas de forma luminosa, assim como a lua no céu noturno. Na verdade, o tradutor Red Pine, na tradução do *Tao Te Ching*, sugere que a lua crescente representa melhor a natureza da Tao.

POEMA 57

Os versos 14, 16, 18 e 20 começam com o caractere 我 *wo*, que significa "nós", referindo-se aos sábios. Optei por usar palavras que nos convidam, a todos nós, a sermos sábios.

POEMA 58

A ideia de que, quanto menos interferência do governo, mais o povo ganha, é um tema comum no *Tao Te Ching*. Porém, a segunda estrofe do Poema 58 difere dos outros poemas ao afirmar que "não há fim" para o ciclo do correto e do astucioso, para o bom e o ruim.

A falecida Sonja Margulies, mestre e amiga zen-budista, descreveu esse caminho atemporal da sabedoria como "mediocridade extraordinária". Suas palavras resumem apropriadamente os últimos cinco versos.

POEMA 59

No verso 8, a referência à "mãe do país" pode remeter ao significado das divindades maternas ainda presente entre algumas tribos da China central, apesar de a passagem histórica do matriarcado para o patriarcado ter, em geral, ocorrido mais de 2.000 anos antes da passagem da tradição oral do *Tao Te Ching* para a escrita chinesa.

POEMA 60

Em relação aos versos 1 e 2, quem já fritou peixes pequenos sabe como é fácil fritá-los demais e deixá-los sem gosto. Recomenda-se delicadeza. A ambiguidade na sintaxe no verso 8 permite que o pronome "eles" se refira a espíritos ou pessoas. Suspeito de que o duplo significado seja intencional.

POEMA 61

O poema 61 é sobre humildade, uma virtude não muito comum na modernidade. Um grande país é comparado a "um rio de pouca correnteza" e à "mulher do mundo" que vence as outras por representar o que é inferior.

POEMA 62

A Tao é o tesouro do mundo. É honrada pelos bons e um escudo que protege dos maus. Todas as coisas, boas e ruins, fluem para Ela.

POEMA 63

O Poema 63 parece uma coleção de aforismos sobre um tema comum, sugerindo longo período de tempo em que o *Tao Te Ching* era transmitido pela tradição oral e posteriormente foi compilado e editado.

O verso 1 repete uma expressão familiar no *Tao Te Ching*, 為無為, que significa "agir sem agir" ou "fazer não fazendo". O caractere chinês do meio, 無 *wu*, também é usado nos versos 2 e 3, numa estrutura paralela com o verso 1. O caractere 無 *wu*, que quer dizer "sem" ou "não", passou a significar o estado meditativo de vazio quando o budismo foi posteriormente introduzido na China.

POEMA 64

O Poema 64 continua o tema do poema anterior, descrevendo a natureza da Tao como *wei wu wei*, "agir sem agir". Os sábios harmonizam-se com a normalidade do mundo natural, contendo eventos quando aparecem pela primeira vez e são fáceis de lidar.

No verso 22, o caractere chinês 學 *hsüeh* é repetido duas vezes para dar ênfase e refere-se ao conhecimento associado à escolaridade. Em contraste, os sábios se voltam para o conhecimento adquirido da espontaneidade do mundo natural. Portanto, traduzi o verso como "aprendem a não aprender".

POEMA 65

Nos versos 6, 7 e 9, o caractere chinês 智 *chih* refere-se ao conhecimento externo vindo dos livros ou das opiniões de terceiros. Em comparação, o *Tao Te Ching* enfatiza o conhecimento interior e experiencial. Portanto, nos versos 6 e 7, eu o traduzi como "inteligência" e, quando precedido do caractere que significa "não", no verso 9, traduzi como "não saber".

"Virtude obscura" também se refere à Tao nos Poemas 10 e 51.

POEMA 66

Em linguagem simples e com metáforas, este poema descreve a natureza das relações pacíficas com as outras pessoas e entre os países.

POEMA 67

No último verso, o caractere chinês 垣 *huan* significa "cercar com uma parede". Eu o traduzi como "protege".

Os Poemas 67, 68 e 69 têm temas semelhantes e podem ser lidos como uma unidade.

POEMA 68

Como nos dois poemas anteriores, no verso 4, os habilidosos são descritos como se colocando abaixo dos outros ou em posição inferior a eles. A autoridade deles vem do que podemos descrever como humildade e ações nobres para com os outros. Dessa maneira, eles se destacam por estarem muito acima e superam obstáculos intransponíveis.

POEMA 69

No verso 12, o caractere chinês 寶 *pao* significa "tesouros" e se refere às virtudes interiores. Eu o traduzi como "virtude".

No contexto da guerra, o verso 14, "vence o que luta com pesar", alinha-se com a última estrofe do Poema 31, em que o comandante e o segundo em comando permanecem na batalha como se "conduzissem um funeral".

POEMA 70

No verso 7, os caracteres chineses 玉 *yü* significam "jade" ou "joias" e querem dizer "o que é mais precioso". Os sábios encerram o que é mais precioso.

POEMA 71

Nos versos 1 e 2, o caractere chinês 知 *chih*, que significa "saber", é repetido quatro vezes e se refere a saber em sentido filosófico ou metafísico. "Saber não saber" descreve a busca de um estado de espírito semelhante à "seda não tingida" e à "madeira não entalhada" (como mencionado no Poema 19), diante das ideias ou dos pensamentos que aparecem. O caractere 知 é composto de dois caracteres simplificados, 头 e 口, significando "seta" e "boca", respectivamente.

O Poema 71 é semelhante em significado à segunda estrofe do Poema 65, exceto pelo fato de o caractere chinês para saber, que é 智 *chih* no Poema 65, se referir ao conhecimento obtido dos livros. Os chineses pronunciam os dois caracteres em tons diferentes, e, portanto, eles soam diferentes ao ouvido.

POEMA 72

As três estrofes do Poema 72 são lidas como se fossem uma composição de três conjuntos de aforismos relacionados.

POEMA 73

O caractere chinês 惡 *wu*, no verso 6, é composto por dois caracteres simplificados. O caractere principal significa "feio", e o caractere que fica embaixo significa "coração". Portanto, eu os traduzi por "coração feio", o que me parece mais significativo e poético que traduções alternativas, como "odiar" ou "rejeitar".

POEMA 74

Para os antigos chineses, o Céu determinava todas as coisas, inclusive a morte. Portanto, nos versos 10, 11 e 12, o "cortador mestre" desafia a vontade do céu.

POEMA 75

Nos versos 2 e 5, quando justapostos, os caracteres chineses 其 *ch'i* e 上 *shang* significam, literalmente, "eles acima", e eu os traduzi como "superiores". No verso 8, 上 *shang*, significando "acima", está faltando, mas está implícito.

POEMA 76

A maleabilidade e a flexibilidade do recém-nascido são suas maiores forças. A dureza e a rigidez da velhice são arautos da morte.

POEMA 77

Os textos Mawangtui para o verso 8 usam o caractere chinês 天 *t'ien*, que significa "Céu". Outros textos antigos adicionam o caractere 下 *hsia*, que significa "abaixo", depois de 天 *t'ien*. Juntos eles significam "o que está abaixo do Céu" ou "o mundo". O texto Mawangtui provavelmente representa a tradição mais antiga, porque oferendas rituais à Tao do Céu ainda eram entendidas como oferendas ao mundo.

POEMA 78

Nos versos 10 e 12, o caractere 主 *chu* significa "mestre", e o caractere 王 *wang* significa "rei" ou "governante". Etimologicamente, 王 representa aquele que está de pé (linha vertical) e conecta o Céu (linha horizontal superior), a Terra (linha horizontal inferior) e a humanidade (linha horizontal central). Embora 主 para "mestre" seja semelhante a 王, retrata um candelabro aceso, significando aquele que espalha a luz da sabedoria como mestre.

POEMA 79

O verso 3 faz uma pergunta, e os versos 4 e 5 a respondem. Na antiga China, quando uma briga ou injúria era apaziguada, escrevia-se um acordo numa vara de bambu. O bambu era, então, quebrado em dois. Quem fazia o pagamento ficava do lado esquerdo, e aquele que o recebia ficava do lado direito. No verso 4, os caracteres chineses 執 *chih*, 左 *tso* e 契 *ch'i* significam "assumir", "lado esquerdo" e "acordo", respectivamente. Eu os traduzi como "assumir o lado do devedor". A ideia aqui é que o sábio assume que é o único que deve e, portanto, não reivindica o que os outros lhe devem. Caso contrário, o ódio permanece.

Os versos 8 e 9 são enigmáticos. Por um lado, a "Tao do Céu não tem favoritos" e, por outro, a Tao "se une aos bons". Meu entendimento desses versos é que os bons estão alinhados com a Tao do Céu, e, portanto, a Tao é naturalmente atraída para eles. Uma tradução alternativa para o verso 9 é "No entanto, sempre provê os bons".

POEMA 80

O Poema 80 assume a forma de oração que invoca um mundo de paz, com pessoas que vivem em harmonia, ideal taoista.

O verso 10, "Que voltem a dar nós nos fios", refere-se a uma prática antiga de manutenção de registros envolvendo fios tingidos em cores variadas e amarrados de maneiras especiais para auxiliar na memória e na preservação da informação. O ábaco chinês teve origem dessa prática.

POEMA 81

O *Tao Te Ching* termina com palavras simples e repete um tema comum: ser sábio é agir, não lutar".

BIBLIOGRAFIA COMENTADA

Blakney, R. B. *The Way of Life: Lao Tzu*. Nova York: New American Library, 1955.

Em prosa clara e enérgica, a tradução de Blakney do *Tao Te Ching* foi minha primeira introdução a Lao-tsé e ao misticismo chinês enquanto eu estava na faculdade, nos anos 1960. Embora seu inglês agora pareça antiquado, sua introdução, as traduções e notas continuam a auxiliar minha compreensão do *Tao Te Ching*, cerca de quarenta anos depois.

Carus, P. *Lao-Tze's Tao Teh King: Chinese-English, with Introduction, Transliteration, and Notes.* Chicago: The Open Court Publishing Company, 2017. [Edição fac-símile de código aberto].

Originalmente publicada em 1898, a tradução literal de Carus do *Tao Te Ching* permitiu que falantes não chineses lessem essa obra em suas respectivas línguas, ao longo das décadas. Embora as descobertas arqueológicas modernas tenham tornado as traduções, os comentários e as notas de Carus desatualizadas, eles ainda contêm ideias sobre o texto que valem a pena estudar.

❁

Fazzioli, E. *Chinese Calligraphy: From Pictogram to Ideogram, the History of 214 Essential Chinese/Japanese Characters.* Traduzido para o inglês por G. Culverwell. Nova York: Abbeville Press Publisher, 1982.

Os 214 caracteres chineses são definidos, descritos e ilustrados em seu contexto histórico, permitindo que os leitores vejam a evolução desses caracteres ao longo do tempo. Um livro com belíssimas ilustrações.

Henricks, R. G. *Lao-Tzu: A New Translation Based on the Recently Discovered Ma-wang-tui texts.* Nova York: Ballantine Books, 1986.

A tradução e as notas de Henricks são baseadas nos manuscritos de seda Mawangtui, encontrados em 1993. Achei a tradução, os comentários e as notas desse livro muito úteis no que diz respeito às variações de nuances entre os caracteres usados nos manuscritos Mawangtui e outros antigos do *Tao Te Ching*.

Mitchell, S. *Tao Te Ching.* Nova York: Harper & Row, 1988.

Escrito em prosa clara e legível, a versão de Mitchell do *Tao Te Ching* apresentou a milhares de leitores ingleses esse texto clássico. Infelizmente, seu conhecimento e prática do budismo parecem ter influenciado algumas das escolhas de palavras que ele fez em suas traduções.

Pine, R. *Lao-Tzu's* Tao Te Ching *with Selected Commentaries from the Past 2,000 years.* Port Townsend, WA: Copper Canyon Press, 2009.

Mais que qualquer outra tradução do *Tao Te Ching*, a tradução poética de Red Pine me inspirou a traduzir os 81 poemas como poesia e, não como prosa de verso livre. A introdução dele e o prefácio da edição revisada também me permitiram situar os manuscritos escavados, agora disponíveis, em seus contextos históricos, desde o início do meu processo de tradução. Red Pine é o pseudônimo que Bill Porter adota em suas traduções.

Star, J. e Lao Tzu. *Tao Te Ching: The Definitive Edition.* Nova York: Jeremy P. Tarcher/Putnam, 2001.

Sem as traduções literais de Jonathan Star para cada caractere do *Tao Te Ching* e as notas sobre as muitas ambiguidades do texto, eu não teria sido capaz de traduzir os poemas por causa das lacunas em meu conhecimento de leitura do chinês. Suas definições e concordância dos caracteres chineses no *Tao Te Ching* também me permitiram identificar as variações de significado, ao comparar o uso de caracteres iguais e semelhantes utilizados nos 81 poemas.

Xing, W. *"Hiding the Tip:" Gateway to Chinese Calligraphy.* Portland, ME: MerwinAsia, 2014.

> Este livro belamente ilustrado fornece muitos exemplos de manuscritos chineses antigos e modernos e apresenta a caligrafia chinesa como cosmologia corporificada. Com anos de experiência como professora de estudos asiáticos e de caligrafia chinesa, as visões gerais de Wen Xing instruem os leitores na compreensão tradicional de "esconder a ponta", na arte e na prática da caligrafia chinesa.

Wieger, L. *Chinese Characters: Their Origins, Etymology, History, Classification and Signification.* Nova York: Dover Publications, 1965.

> Comprei este livro no fim dos anos 1970 enquanto morava na Ásia e o li repetidamente em longas viagens de ônibus entre locais de ensino no Japão e na Coreia do Sul. Antes e agora, sou fascinada pela etimologia dos caracteres chineses ao longo dos milênios e incorporei muitas das ideias de Wieger em minhas traduções e notas sobre os 81 poemas.

SOBRE A TRADUTORA E CALÍGRAFA

A dra. Rosemarie Anderson, professora emérita, pastora episcopal e pesquisadora premiada, apresenta uma tradução nova e surpreendentemente bela do *Tao Te Ching*, que enfatiza os elementos místicos, poéticos e femininos desse texto clássico em chinês. Numa época em que a agressividade e a ambição descomedidas do ser humano ameaçam a vida do planeta e suas criaturas, a grande mensagem da Tao — *wei wu wei* ("agir sem agir" e "fazer sem fazer") — é um oportuno lembrete da importância de abraçarmos a maleabilidade altruísta do *wei wu wei* e trabalhar em prol da paz de que tanto precisamos.

Rosemarie nasceu em Englewood, Nova Jersey (EUA), em 1947, e cresceu no lado de Jersey do rio Hudson, do outro lado de Manhattan. Nos últimos anos, em sua aposentadoria, ela se viu atraída de volta ao tempo em que morou na Ásia, dando aulas na filial asiática da Universidade de Maryland, no fim dos anos 1970, e se perguntou se traduzir o *Tao Te Ching* não faria parte do seu próprio destino, uma história contada com mais profundidade na introdução deste livro. Ela agora mora no sul do Oregon, cercado de natureza agreste e de vida selvagem.